Porte Bonheur

Les Éditions Porte-Bonheur se consacrent à l'édition de livres jeunesse de qualité. Soucieuse de servir un public de plus en plus exigeant et connaisseur, la maison privilégie des textes qui incitent à la découverte du plaisir de lire tout en nourrissant l'imaginaire.

Des auteurs et des illustrateurs de renom contribuent à l'épanouissement de cette nouvelle maison dans le paysage éditorial québécois.

Les Éditions Porte-Bonheur se développent autour de quatre collections :

ANTOINE
série d'albums illustrés pour enfants de 3 à 7 ans

TRÈFLE À 4 FEUILLES
romans pour nouveaux lecteurs (7-9 ans)

PATTE DE LAPIN
romans pour lecteurs plus expérimentés (9-11 ans)

TALISMAN
romans réservés aux lecteurs aguerris (12-14 ans)

La maison publie aussi, occasionnellement, de beaux-livres hors-collection.

Nessy Names et la Terre sans mal

TOME 2

Michèle Gavazzi

Les Éditions Porte-Bonheur
une division des Éditions du Cram Inc.

1030, rue Cherrier, bureau 205
Montréal, Québec, Canada, H2L 1H9
Téléphone (514) 598-8547
Télécopie (514) 598-8788

www.editionscram.com

Conception graphique
Alain Cournoyer

Révision et correction
Sophie Bordeleau
Pierre Lavigne

Dépôt légal — 2e trimestre 2007
Bibliothèque nationale du Québec
Bibliothèque nationale du Canada

Gouvernement du Québec — Programme de crédit d'impôt pour l'édition de livres — Gestion SODEC. Les Éditions Porte-Bonheur bénéficient du soutien financier du gouvernement du Canada par l'entremise du ministère du Patrimoine canadien, dans le cadre de son programme d'aide au développement de l'industrie de l'édition (PADIÉ).

Catalogage avant publication de Bibliothèque et Archives nationales du Québec et Bibliothèque et Archives Canada

Gavazzi, Michèle

Nessy Names

(hors-collection)
L'ouvrage complet comprendra 3 v.
Sommaire: t. 1. La malédiction de Tiens -- t. 2. La terre sans mal.
Pour les jeunes de 12 ans et plus.

ISBN 2-922792-38-2 (v. 1)

ISBN 978-2-922792-40-9 (v. 2)

I. Titre. II. Titre: La malédiction de Tiens. III. Titre: La terre sans mal.
IV. Collection: H-C (Éditions Porte-bonheur) ; 1.

PS8613.A98N47 2006 jC843'.6 C2006-941367-3
PS9613.A98N47 2006

Imprimé au Canada

Nessy Names et

TOME 2

la Terre sans mal

Parus aux Éditions Porte-Bonheur, dans les collections :

ANTOINE (albums illustrés)
Mon livre a des pattes / Marie Portelance
Je suis petit mais grand / Marie Portelance
J'ai rempli le coeur du Père Noël / Marie Portelance
Je suis prisonnier de Zalouzi / Marie Portelance
Le château où tout m'est permis / Marie Portelance

TRÈFLE À 4 FEUILLES (romans 6 — 9 ans)
01 *PT l'inventeur et le sifflet de la paix* / Nicole M. Lavigne
02 *PT l'inventeur : Un noël PT* / Nicole M. Lavigne
03 *PT l'inventeur et le Grand Cirque de la Lune* / N. M. Lavigne
04 *La soupe aux orteils* / Christine Bernard

PATTE DE LAPIN (romans 10 — 12 ans)
01 *Toutouramo* / Roger Rolland
02 *Le colonel Gourmi* / Roger Rolland
03 *Rocambo* / Roger Rolland
04 *Chapka* / Marie France Bouchard
05 *Les aventures d'Ori et Algo : Ori, le fils de la louve* / Marie France Bouchard
06 *Les aventures d'Ori et Algo : Algo, l'étranger parmi les siens* / Marie France Bouchard
07 *Les aventures d'Ori et Algo : Prisonniers de la grande eau* / Marie France Bouchard
08 *Les aventures d'Ori et Algo : Au coeur de l'Empire des Quatre-Directions* / M.F. Bouchard
09 *Recherche grand-père, avec ou sans expérience* / Christine Bertrand

TALISMAN (romans 12 — 14 ans)
01 *Amarok, l'esprit des loups* / Nadège Devaux
02 *Pierrot et le village des FOUS : Le spectre* / Sylvie Brien
03 *Pierrot et le village des FOUS : Les têtes coupées* / Sylvie. Brien
04 *Pierrot et le village des FOUS : Zone infinie* / Sylvie Brien
05 *Pierrot et le village des FOUS : Le trésor de Frank* / Sylvie Brien
06 *Pierrot et le village des FOUS : Les lutins de Picardie* / Sylvie Brien
07 *Pierrot et le village des FOUS : L'énigme du Marie-La-Paix* / Sylvie Brien
08 *L'empreinte de Marco Polo* / Nadège Devaux

HORS COLLECTION

L'Épopée du Lion / Réjean Béchamp
Nessy Names : La malédiction de Tiens / Michèle Gavazzi
Nessy Names : La Terre sans mal / Michèle Gavazzi

— Chapitre I —

Luis ouvrit difficilement les yeux. Ses paupières étaient lourdes. Il parvenait à peine à les contrôler, comme si elles ne lui appartenaient plus. Il regarda autour de lui. Tout était d'un blanc immaculé. On n'entendait pas un bruit. Une fine lumière filtrait à travers les stores de la fenêtre. Il tenta de bouger, mais ses mains étaient liées à son lit, tout comme ses pieds. Le moindre effort lui paraissait insurmontable.

Il regarda le tube de soluté qui pénétrait dans son poignet.

— Je dois l'enlever, songea-t-il.

Il tenta désespérément de remuer, mais ses membres n'avaient pas beaucoup de jeu. Les liens étaient serrés. Une angoisse phobique l'envahit ; la sensation d'emprisonnement l'exaspérait.

— Allez, Luis, tu dois le faire ! Pense à maman, se murmura-t-il à lui-même.

À l'évocation de sa mère, il sentit la rage lui donner des forces. Il s'escrima sur sa jambe droite, tendant le pied et le relâchant. Le cuir s'étirait un peu. Malgré la douleur que cet effort lui infligeait, le garçon continua jusqu'à ce qu'il réussisse à se libérer puis, de ce pied libre, il arracha le tube de soluté.

Il laissa échapper un soupir de soulagement, puis referma les yeux. Quelques minutes plus tard, il les rouvrit plus facilement. Le sédatif ayant commencé à se dissiper, la somnolence s'était estompée. Luis fit éclater les trois autres attaches retenant ses membres, puis il retira l'aiguille de son poignet. Un énorme hématome commençait déjà à se former.

Il chercha ses vêtements mais ne les trouva pas. Son cœur palpitait dans sa poitrine. Il devait s'échapper avant que quelqu'un n'entre dans la chambre. Le jour se levait et les couloirs commençaient à s'emplir de bruits.

— Oh, tant pis, murmura-t-il.

Il garda sa jaquette d'hôpital. Il s'enroula le bras d'un drap et fit éclater en morceaux la vitre de la fenêtre. Sans tarder, il se faufila par l'ouverture. Quelques morceaux pointus restés sur le cadre de la fenêtre lui transpercèrent la peau des jambes. Il sauta sur l'herbe, encore humide, et disparut dans le boisé.

Au bout de quelques minutes, réalisant qu'il n'était pas suivi, il s'arrêta pour reprendre son souffle. Il ôta sa jaquette. Il préférait encore rester en sous-vêtements, car sa tenue l'encombrait vraiment. Il examina les blessures qu'il s'était infligées dans sa fuite, mais constata qu'elles étaient superficielles.

Luis était un garçon d'une douzaine d'années à la physionomie typique d'un Péruvien : teint foncé, yeux noirs aux paupières tombantes et cheveux drus, également noirs. Ce qui impressionnait le plus chez lui était sa musculature, que sa presque nudité laissait paraître. Un torse ciselé, des jambes galbées à la perfection et des bras puissants. En dépit de son jeune âge, son corps ressemblait à celui d'un athlète de haut niveau, sculpté minutieusement jusqu'au moindre de ses muscles.

Il repartit ainsi, à moitié nu, courant dans la forêt, sautant et évitant les obstacles avec adresse. Il n'avait aucune idée de l'endroit où il se trouvait, ni de celui vers lequel il se dirigeait. Il savait seulement que pour trouver refuge il devait fuir loin de ce lieu. Ils ne tarderaient pas à s'apercevoir de sa fuite.

Il n'arrivait à penser à rien. La seule force qui lui restait était celle de courir. Il n'avait pour l'instant ni le cœur ni le temps de faire le bilan des événements qui l'avaient mené dans cette clinique d'enfants « hors-la-loi » . Il continua à fuir ainsi pendant quelques heures, ne s'arrêtant que pour s'abreuver dans les petits ruisseaux qu'il croisait.

En milieu d'après-midi, il sentit qu'il arrivait au bout de ses forces, surtout qu'il n'avait rien avalé depuis son départ. Il avait une endurance hors du commun, mais en avait abusé. En remontant péniblement le sentier qu'il avait emprunté pour se rendre à un ruisseau, il croisa un paysan qui s'y rendait avec un seau, afin de s'approvisionner pour le reste de la journée. Luis leva les yeux vers lui et, pris d'un étourdissement, faillit s'écrouler. L'homme, qui n'était plus tout jeune, déposa son seau et accourut pour aider cet étrange garçon, à peine vêtu. Comme il s'adressa à Luis dans une langue qu'il ne connaissait pas, le garçon ne fit que secouer la tête en guise de réponse. L'homme au visage ridé par des années de dur labeur esquissa un curieux sourire et glissa un bras sous les épaules du jeune garçon pour qu'il y prenne appui. Il l'emmena ainsi jusque chez lui, une humble petite hutte. Sa femme, occupée à tisser sur le porche, se précipita pour l'aider. Elle bombarda son mari de questions, que Luis, à peine conscient, n'essaya même pas de déchiffrer.

Le paysan lança un ordre à sa femme, qu'elle s'empressa d'exécuter. Elle entra et remplit un bol de soupe aux patates qui mijotait pour le repas. Son mari avait fait asseoir Luis sur un petit tabouret, seul meuble de la modeste demeure. Affichant un sourire édenté, elle tendit le bol au garçon, le regardant de ses petits yeux noirs et ridés. Luis la remercia et elle secoua la tête de haut en bas pour l'inciter à consommer le potage chaud dont l'odeur emplissait la hutte. L'homme alla chercher des vêtements et les déposa près du garçon, lui faisant comprendre, en les pointant du doigt, qu'il devait les mettre.

Après ce fortifiant repas qui lui réchauffa le corps, Luis se sentit pleinement rassasié. Il enfila les vêtements que l'homme, qui faisait à peu près sa taille, lui avait prêtés : une chemise, un pantalon et un poncho coloré tissé à la main. Il tenta de remercier ses hôtes par signes. Il savait que ces Indiens parlaient quechua, mais lui-même n'en connaissait pas un mot. L'homme lui montra du doigt un coin de la demeure où se trouvaient des paillasses, de grosses couvertures déposées sur des peaux de mouton à même le sol de terre battue. Luis accepta l'offre, car il avait bien besoin de se reposer pour reprendre des forces. Il avait couru dans la forêt plus de douze heures et parcouru ainsi presque une centaine de kilomètres, s'éloignant considérablement de la ville où se trouvait le centre d'évaluation qu'il avait fui à l'aube.

Il sombra instantanément dans un profond sommeil, jusqu'au matin. Il se réveilla en entendant la femme qui s'affairait à faire bouillir de l'eau et à préparer le repas matinal. L'homme se leva aussi, et tous trois prirent place par terre, près du feu.

Luis connaissait le maté, mais celui-ci lui parut bien plus amer que celui que sa mère lui préparait tendrement certains après-midis. Il refoula un sentiment d'accablement lorsqu'il songea à sa mère et avala avec amertume cette boisson qu'on lui offrait, puis mangea du pain silencieusement.

Après ce repas simple, l'homme prépara quelques effets et fit signe à Luis de le suivre. Ils se rendirent non loin de là, dans un petit champ de patates. L'homme demanda au garçon, toujours par gestes, de l'aider à labourer. Luis l'aida toute la journée, au grand plaisir de l'homme, qui fut agréablement surpris par la force incroyable du jeune garçon que ce rude travail ne semblait pas fatiguer. Ils ne s'arrêtèrent qu'un court moment, lorsque la femme du paysan arriva avec le repas des deux travailleurs. Elle continuait à sourire largement au jeune garçon qui, pour elle, était tombé du ciel pour les aider.

Luis sentait bien que sa présence était appréciée des deux paysans, qui semblaient bien isolés, car il n'avait pas remarqué d'autres huttes aux alentours. Il faut dire que les pandémies avaient décimé les populations par millions, et que dans les régions plus éloignées et plus rudes, la repopulation se faisait plutôt lentement et difficilement.

Le boom biotechnologique ne s'était pas vraiment rendu jusqu'ici. Même si les enfants conçus étaient interdits dans presque tout le pays, la plupart des paysans continuaient à procréer ; malheureusement peu d'enfants survivaient dans des conditions aussi précaires. C'était le cas du couple qui hébergeait Luis. Il avait perdu tour à tour toute sa progéniture, se retrouvant seul, sans descendance, et avec un lourd fardeau physique pour assurer sa subsistance.

Luis se sentait bien chez ces gens. Il n'avait pas de chez-soi où aller. Car, même s'il ne prenait pas le temps d'y songer, il se souvenait fort bien qu'il avait été capturé par les agents de contrôle d'enfants conçus (ACEC). Après le décès de sa mère, survenu quelques mois auparavant, il s'était retrouvé seul au monde, ce qui l'avait obligé à sortir de sa demeure pour se nourrir. C'est au cours d'une de ces sorties qu'il s'était fait prendre.

Sa mère lui manquait énormément. Il avait passé douze années auprès d'elle, caché. Elle sortait travailler et revenait le soir. Elle lui enseignait toutes sortes de choses. Elle lui parlait du monde austère et des problèmes mondiaux qui s'aggravaient. Elle lui avait même parlé des rebelles et de la zone hors brevet, au nord du pays. Mais le voyage, lui disait-elle, serait trop risqué et elle préférait qu'il reste caché jusqu'à l'âge adulte.

Luis décida de rester auprès de ces braves gens, car de toute façon, il ne savait pas comment se rendre dans la zone protégée. De plus, il aimait aider, sa force physique étant ce qu'il possédait de plus précieux.

Peu à peu, il apprit le quechua et enseigna quelques mots d'espagnol à l'homme. Il sut qu'il se trouvait aux alentours de Cuzco, la dernière cité des Incas. Sa mère lui avait beaucoup parlé de ce peuple éteint qui avait profondément marqué le pays et dont elle-même se disait descendante. Elle lui disait souvent qu'avec son endurance il pourrait sûrement monter jusqu'au Machu Picchu, ce lieu sacré, en un rien de temps, et qu'elle l'y emmènerait un jour.

Un matin, le vieil homme prévint Luis qu'il devait se rendre chez un ami pour l'aider. À son retour, il alla directement rejoindre le garçon au champ pour lui parler.

— Viens, lui dit-il d'un ton sérieux et inquiet.

— Que se passe-t-il ?

— J'ai de mauvaises nouvelles. Mon ami m'a dit que des hommes se promenaient dans les environs, à la recherche d'un garçon comme toi. Ce sont des agents du gouvernement. Je ne sais pas ce qu'ils veulent, mais je sais qu'ils ne tarderont pas à venir ici.

Luis l'écoutait poliment, mais la nouvelle le rendit anxieux. Ses hôtes ne lui avaient jamais posé de questions sur sa venue ni sur son passé. Ils l'avaient tout simplement accueilli à bras ouverts. Et lui n'y avait jamais fait allusion.

— Tu dois te cacher si tu ne veux pas retourner avec eux. Mon ami m'a dit qu'ils étaient arrogants et bien déterminés à te retrouver. Je crois savoir pourquoi ils te cherchent, mais je ne veux pas qu'ils te trouvent. Tu es un brave garçon, presque un homme, lui déclara le paysan avec une fierté paternelle. Je vais t'aider.

Luis acquiesçait de la tête à chaque affirmation.

— Je vais aller à la maison préparer ce qu'il te faut et je reviendrai te le porter. Je saluerai ma femme de ta part, elle souffrira moins ainsi, ajouta-t-il en s'éloignant, ne laissant pas au garçon la chance de répliquer.

Luis resta figé sur place, abasourdi par la nouvelle. Il s'était fait à l'idée de vivre ici pendant un bon moment. Il s'était aussi attaché à ces deux vieilles personnes qui auraient pu être ses grands-parents.

Où irait-il maintenant ? Sa tête bourdonnait d'incertitudes. Il ne voulait pas se retrouver seul, mais il ne voulait pas non plus risquer de se faire prendre et exposer ainsi ses hôtes à des représailles.

L'homme revint une demi-heure plus tard muni d'une hachette – qu'il portait à la main – et d'un sac rempli de victuailles, de vêtements plus chauds, d'une paire de bottes et d'un réchaud. Il fit signe de le suivre à Luis, qui s'était habitué à leur façon de communiquer, en utilisant le moins de paroles possible. Ils s'éloignèrent du champ pour se rendre en bordure de la rivière Urubamba.

— Où vais-je aller ? interrogea le garçon, inquiet.

— Luis, commença l'homme d'une voix posée, tu as la force du dieu Soleil en toi. Tu es un être exceptionnel. Prends ce chemin et suis-le jusqu'au bout, car là où il te mènera, ils ne pourront pas te suivre. Toi seul en as la force et l'endurance.

Luis regarda le chemin que l'homme lui désignait. C'était un petit sentier qui menait vers un pont franchissant l'Urubamba et qui serpentait entre les collines.

— Quel est ce chemin ?

— C'est celui de l'Inca.

— Celui qui va au Machu Picchu ?

— Oui !

Luis eut un pincement au cœur en pensant à sa mère, et comprit que l'homme avait probablement raison. Il l'embrassa chaudement, mais avec tristesse. L'homme, qui sentit des larmes lui mouiller les joues, se dégagea de l'étreinte. « Que Dieu te garde ! », dit-il, puis il rebroussa chemin, nostalgique.

Luis s'engagea sur le chemin de l'Inca. Il constata rapidement que l'endroit avait été complètement abandonné au cours du dernier siècle, comme autrefois par les Incas. Les populations ayant dû combattre d'atroces maladies, les gens n'avaient plus la santé physique d'effectuer des pèlerinages à une aussi haute altitude. À certains endroits, il dut se servir de la hachette pour se frayer un chemin à travers les branchages. Le sentier piétiné pendant des siècles était, lui, resté visible.

Après quelques kilomètres, il traversa un village abandonné. Puis, le sentier se transforma en véritable montée. Pour Luis, qui était en excellente forme physique, ce n'était qu'un jeu d'enfant ; toutefois, après une heure de marche, il commença à sentir la solitude qui l'entourait dans cette immensité montagneuse. L'altitude ne l'indisposait guère. Il respirait aisément dans cet univers qui semblait lui appartenir. Mais la tristesse l'envahissait quand même. Le jour où sa mère était morte dans ses propres bras, il l'avait implorée de tenir le coup ; il lui avait dit qu'elle devait survivre pour aller dans les temples du Machu Picchu, dut-il la porter dans ses bras. En vain, car sa mère se mourait d'une de ces maladies infâmes qui avaient tué sans scrupule des millions de gens au cours des dernières décennies. Il ne pouvait rien y faire.

Et aujourd'hui, il se trouvait là, à l'endroit même où elle rêvait d'aller avec lui. Chaque battement de son cœur était douloureux, mais il n'arrivait plus à pleurer. Au chevet de sa mère, dans la plus amère des solitudes, il avait épuisé toutes ses larmes. Maintenant qu'il devait de nouveau faire face à la solitude, c'était la rage qui l'animait. Ajoutée à sa force, elle lui faisait accélérer le pas, malgré la difficulté croissante du parcours qui menait au lieu sacré. Sacré pour ses ancêtres et sacré pour lui, car il y enterrerait symboliquement sa mère pour trouver un renouveau dans sa vie.

Il marchait depuis quelques heures déjà lorsqu'il aperçut pour la première fois, dans toute sa magnificence, le mont Machu Picchu et ses temples majestueux. Il resta figé devant une telle splendeur.

— Nous arrivons, maman ! Tu pourras te reposer éternellement, murmura-t-il d'un ton solennel. Puis il entreprit avec détermination la descente vers Machu Picchu.

Le silence régnait dans ce havre de paix. L'après-midi tirait déjà à sa fin, et lorsque Luis pénétra dans le site historique, le soleil entamait sa descente. Il ressentit une immense plénitude dans cet endroit féérique, se disant qu'il pourrait rester caché indéfiniment dans un endroit aussi envoûtant que celui-ci. Il fit le tour du site et s'installa dans le temple du condor, une caverne au fond du site, pour se recueillir et y passer la nuit.

Il ouvrit le sac que lui avait préparé le paysan. Il en sortit le réchaud, des pommes de terre, une gourde et des couvertures chaudes pour la nuit. Il fit une prière pour sa mère, puis mangea avant que la noirceur ne s'installe pour de bon. Il s'endormit peu de temps après.

Le lendemain, une brume épaisse s'était installée autour du site, et l'air était frais. Luis décida de grimper le piton qui surplombait le site du Machu Picchu, le Huayna Picchu. Il se dit qu'il devrait rester caché quelques jours, le temps que les ACEC finissent de fouiller les alentours, avant de pouvoir redescendre et se trouver un endroit où il pourrait vivre en sécurité jusqu'à l'âge adulte. Le sentier était abrupt, et pour parvenir au sommet, Luis dut par endroits se déplacer à quatre pattes.

La brume du matin se dissipait tranquillement quand il atteignit le point culminant. L'effort en valut la peine, car la vue du haut de ce mont était époustouflante. L'air était plus difficile à respirer, mais Luis était toujours en pleine forme et dans son élément.

Il resta quelques heures à contempler toute cette beauté, puis redescendit en se disant qu'il referait l'exercice tous les matins tant qu'il serait caché ici. Le reste de la journée, il se promena autour du site, allant du côté plus escarpé de la montagne qui surplombait la rivière Urubamba, d'où il avait entrepris sa route.

Çà et là, la flore envahissait les ruines. De superbes orchidées fleurissaient abondamment un peu partout. Dans les coins un peu plus ombragés, c'étaient des fougères et des champignons. Pour quelqu'un comme Luis, qui appréciait toute cette beauté et était empreint d'une grande soif de liberté – après avoir été caché douze ans dans l'appartement de sa mère –, cet endroit était un paradis. Toutefois, la solitude commença vraiment à l'accabler après quelques jours. Ses provisions tiraient aussi à leur fin. Mais il avait peur de redescendre trop hâtivement.

Puis, un jour qu'il marchait dans un endroit plus envahi par la végétation, il découvrit de magnifiques champignons brun foncé, avec des reflets orangés. Il y en avait partout. Il décida d'en cueillir pour les faire cuire dans la soupe de patates, qui constituait tous ses repas, question de changer la monotonie.

Ce ne fut pas un succès, car les champignons donnèrent un goût amer au potage, que Luis n'apprécia guère. Il finit quand même son bol, car il ne pouvait se permettre de gaspiller les quelques provisions qui lui restaient.

Cette nuit-là, il eut de terribles crampes à l'estomac, qui le tirèrent de son sommeil. Chaque fois qu'il se réveillait, il semblait pris de visions étranges. Il voyait des formes étranges flotter dans les airs, qu'il tentait en vain de chasser avec ses mains.

Le lendemain, il eut de fortes nausées et ressentit une fatigue intense. Son corps ne semblait pas réagir. Les muscles endoloris, il dut rester couché toute la journée. Ses forces semblaient s'être volatilisées. Ses hallucinations revinrent à la tombée de la nuit. Des sueurs froides lui traversaient le corps et une douleur aiguë lui transperçait les reins.

Le troisième jour, la douleur devint intolérable, et Luis devint incapable de bouger un seul muscle. Comme il ne pouvait pas descendre pour aller se faire soigner, il resta dans cet état, qui semblait le conduire à une mort certaine. Sans le savoir, le jeune garçon avait ingéré des champignons toxiques qui, faute d'un traitement approprié, deviendraient mortels.

Dans un état mi-conscient et encore en proie à des hallucinations, il sombra dans d'étranges rêves. Des bêtes féroces l'entouraient. Dans le ciel, un condor tournait autour de lui. Des sons étranges retentissaient de la forêt. Il sentait le danger, mais bougeait ses bras au ralenti, comme s'ils étaient engourdis.

Puis, tout à coup, il l'aperçut pour la première fois.

Flou pour commencer, puis très clairement par la suite.

C'était un magnifique papillon orange et noir.

Il voltigeait autour de lui et vint se poser sur sa poitrine qui palpitait à toute allure dans ce rêve à demi lucide.

Luis le fixa des yeux, puis s'évanouit, épuisé.

— Chapitre II —

Un jeune garçon se présenta au pas course devant la porte de la maison de Pablo, une simple hutte avec un toit en branchages.

— Pablo, Pablo !

Un bel homme dans la mi-trentaine sortit de la demeure, chemise froissée et déboutonnée révélant un torse basané et musclé, cheveux noirs ébouriffés et barbe mal rasée. Il regarda le garçonnet, de ses yeux d'un vert intense et d'une profondeur envoûtante, puis dit :

— Qu'y a-t-il, Pedro ?

— Un message pour vous, monsieur Ortiz.

— Fais voir.

— Tenez.

— Merci, Pedro.

Le garçon repartit en courant.

Pablo ouvrit le papier plié et lut :

« Arrive au port colis très important. Prévoir gros camion pour le transport. Ne pas tarder à le réclamer, le temps est compté. En prendre bien soin, c'est un objet très important de quelqu'un de tout aussi important.

V. »

Pablo resta songeur devant ce mystérieux message. En fait, il était déjà fort inquiet. Il avait appris par Internet le scandale des rebelles dont Victor était le chef. Mais depuis, pas de nouvelles de son messager, ni d'aucun des rebelles. Selon les reportages, ils avaient tous été tués, entraînant le reste de la planète dans des tensions guerrières croissantes. Le climat était devenu malsain. La plupart des milices mondiales avaient déclaré l'état d'urgence, de peur que des rébellions n'éclatent aux quatre coins de la terre.

Mais ce qui paralysait Pablo, dont le camp était aux aguets, était davantage l'incertitude au sujet d'Esteban. Peu de temps auparavant, il avait envoyé le jeune garçon, qu'il considérait comme un frère, en mission incertaine, et maintenant il redoutait l'avoir envoyé vers sa propre mort.[1]

Il rêvait bien de lui, mais ses rêves n'étaient pas clairs. De plus, quand le stress était trop élevé, ses capacités prémonitoires – voire télépathiques – étaient fortement diminuées. Il fut un peu soulagé de savoir que Victor s'en était tiré, mais il aurait voulu avoir plus de nouvelles. Or, les communications entre rebelles étaient toujours très courtes, mystérieuses et sans trop de détails pour minimiser, d'un côté comme de l'autre, les risques en cas d'interception. Le téléphone n'était jamais utilisé, à cause de la facilité à retracer les appels. Il en était de même des messages électroniques.

Pablo avait toujours de la difficulté à rester calme lorsqu'il envoyait Esteban en mission. Il était si jeune. Mais c'était le seul homme en qui il avait complètement confiance. Si cela devait s'avérer, il ne se pardonnerait jamais sa mort.

Un paysan le tira de ses pensées en le saluant. Se reprenant, il interpella deux hommes non loin, et leur demanda de préparer un camion pour aller cueillir un colis au port. Ils s'exécutèrent sur-le-champ.

Le camion revint deux heures plus tard, tirant un conteneur fermé. Pablo attendait aux portes du village.

---

[1] Voir *Nessy Names t.1 La malédiction de Tiens*, du même auteur, aux éditions Porte-Bonheur.

Il fit arrêter les deux hommes, qui descendirent et allèrent le retrouver.

— Avez-vous eu des complications ? leur demanda-t-il.

— Non ! Nous n'avons aucune idée de ce que c'est, mais la signature sur le document de transport était bien celle utilisée par notre contact, répondit l'un d'eux.

— Que croyez-vous que ça soit, chef ? demanda l'autre, intrigué.

Au même moment, le conteneur trembla et un étrange bruit retentit. Les trois hommes sursautèrent.

— Allez chercher vos armes, ordonna Pablo.

Les deux hommes se rendirent à l'avant du camion pour y prendre des mitraillettes automatiques et revinrent se placer près de leur chef, prêts à tirer. Des coups redoublés sur les portes du conteneur retentissaient dans la forêt. Quelqu'un ou quelque chose de vivant était enfermé dans cette boîte métallique. Calme mais intrigué, Pablo s'avança et demanda :

— Il y a quelqu'un ?

En guise de réponse, un bruit étrange se fit entendre, et les coups diminuèrent.

— C'est un animal, déclara-t-il à ses comparses.

Pablo ne savait pas quel animal faisait ce curieux bruit, certainement aucun de ceux qu'il connaissait de sa forêt amazonienne natale. Il ouvrit le crochet encastré au fond d'une des portes. Les deux hommes visaient de leur arme, prêts à protéger leur chef.

Pablo ouvrit la porte et vit, attachée à une corde, une magnifique créature brun foncé qui le fixait de ses deux yeux noirs.

— Un cheval ! s'exclama Pablo, surpris.

Il savait ce qu'était un cheval, mais n'en avait jamais entendu hennir, et n'en avait jamais vu en chair et en os. Il s'avança et caressa la tempe de l'animal, qui blottit son museau tendrement dans le cou de l'inconnu, geste qu'il ne réservait qu'à sa seule et unique maîtresse, la jeune fille aux yeux vert émeraude qui l'avait nourri et bercé à sa naissance. Pablo ferma les yeux et laissa courir en lui visions et sensations : il se vit chevaucher sur le dos de l'animal dans la forêt, une forêt pas comme la sienne ; il sentit le vent dans ses cheveux en galopant à toute allure ; il écouta son cœur, puis celui de la bête, s'accélérer, et il ressentit alors la peine qu'éprouvait l'animal en l'absence de la personne qui, en réalité, le chevauchait.

Finalement, il fut envahi de la même sensation que celle qu'il éprouvait lorsqu'il faisait ses rêves, transformé en dauphin, et qu'il rencontrait une entité qu'il devait guider de ses pouvoirs de chaman. L'impression d'être avec quelqu'un qu'il aimait l'imprégna, comme durant ces voyages astraux qu'il effectuait grâce à une plante hallucinogène réservée aux chamans de l'Amazonie. Pablo rouvrit les yeux, et scrutant ceux de Mistral lui murmura :

— Tu es vraiment spécial, toi ! Ton maître te manque ? Moi, j'ai bien hâte de le rencontrer.

Mistral secoua la tête, faisant vaguer sa belle crinière noire. Pablo le détacha et le fit sortir du conteneur. Mistral eut de la difficulté à trotter, encore engourdi par les sédatifs que Victor lui avait administrés pour le transport en bateau. Il brouta un peu d'herbe et Pablo l'emmena par la bride jusqu'au village.

En approchant des habitations, ils semèrent l'étonnement des adultes et piquèrent la curiosité des enfants qu'ils croisaient. Tous ces gens se réunirent autour d'eux, abasourdis par la bête. Pablo s'arrêta sur la place centrale du village et leur expliqua que ce qu'ils voyaient était un cheval, qu'il avait été envoyé par leur ami Victor – du Nord –, et que cette belle créature appartenait à quelqu'un de bien spécial, sans toutefois leur dire le nom de Mistral ou celui de son propriétaire, qu'il ignorait.

Les enfants plus courageux demandèrent à le toucher. Mistral se laissa caresser par toutes ces petites mains, restant calme. Pablo l'attacha derrière chez lui, au milieu de la selva, et demanda qu'on construise un abreuvoir, ce qui fut fait en quelques minutes par trois ou quatre hommes.

À l'aube, alors que le soleil pointait à peine, Pablo alla retrouver Mistral. Il mourait d'envie de le chevaucher. Il avait à peine dormi, angoissé par l'absence d'Esteban, mais aussi troublé par la sensation de se rapprocher de cette entité qui le bouleversait à chaque rencontre, cette même entité qui était la cause de la mission de son protégé, dont il n'avait aucune nouvelle. En fait, il n'avait jamais senti cette présence sans l'effet de l'*ayahuasca*, cette plante sacrée qu'il utilisait pour le guider dans ses quêtes de guérisseur. C'était elle qui lui dictait les plantes nécessaires pour guérir.

— Dis-moi, mon beau, ça te dirait de galoper dans la plus vaste et la plus belle forêt du monde ? dit-il à Mistral en le détachant.

Il le monta, lui donna un léger coup de talon, et ils partirent au trot dans le bois. Pablo chevaucha Mistral toute la matinée, envoûté par cette nouvelle sensation. Il décida, lors de sa promenade, qu'il consulterait le lendemain soir les esprits de la forêt, par l'intermédiaire de l'*ayahuasca*, au sujet du propriétaire de ce cheval.

En arrivant chez lui, il se prépara selon la coutume à la cérémonie de la boisson médicinale, un mélange de plantes qui devait infuser pendant une douzaine d'heures. Il prévint un membre de sa tribu qu'il aurait besoin de son aide la nuit suivante. En fait, Esteban était celui qui l'assistait habituellement dans ses transes pour le protéger des dangers que présentaient de telles pratiques. En effet, la plante, en plus de provoquer des hallucinations, causait des nausées et avait des effets purgatifs. De surcroît, elle engendrait un état agressif, voire paranoïaque, où le sujet risquait de s'infliger des blessures parfois graves. L'homme qui remplaçait Esteban avait déjà assisté Pablo lors d'une autre cérémonie et, quoique l'expérience lui ait déplu, il se présenta sans faute au rendez-vous, dans les conditions requises. Il vouait une confiance totale à son chaman et avait, comme Pablo, jeûné dès que ce dernier l'avait prévenu, ne prenant qu'un thé fort, amer et laxatif, pour purger son corps de tout aliment impropre à la cérémonie.

Le soir venu, ils s'installèrent dans le temple réservé aux cérémonies, une simple hutte ornée de statuettes, au centre de laquelle se trouvait un autel. L'homme qui assistait Pablo, assis par terre, devait entamer les chants cérémoniaux pendant que son chef ingérait l'infusion sacrée, assis par terre également, les jambes croisées et les yeux fermés, s'imprégnant des mélodies pour permettre à la boisson d'apprivoiser son esprit. Pablo y parvenait assez facilement, malgré les nausées étourdissantes qu'il combattait. Il se sentit entrer tranquillement en transe, la voix de son assistant s'estompant en sourdine au fond de sa tête.

Son corps se détendit, et il plongea dans ce nouvel environnement mystique qui se présentait à lui sous forme de visions floues...

— Chapitre III —

Nessy marchait paisiblement le long d'un fleuve, une douce brise lui caressant le visage, lorsqu'elle l'aperçut glissant gracieusement à la surface de l'eau : le dauphin rose. Elle éprouva une certaine gêne en le voyant approcher. C'était la première fois qu'elle le revoyait depuis qu'elle avait appris qui il était.

Dans l'autre monde, celui de l'éveil, Esteban remarqua que la jeune fille rêvait. Assis près d'elle, il la regardait dormir. Il avait pris l'habitude, depuis plus d'une semaine qu'ils fuyaient ensemble, de la surveiller dans son sommeil, pour être présent en cas de cauchemar ou de rêve prémonitoire. La crise de Nessy au sujet de son grand-père avait ébranlé le jeune homme. Avec tout ce qu'elle avait appris au cours des dernières semaines, elle était dans un état si fragile ! Il voulait à tout prix la soutenir jusqu'à ce qu'ils arrivent à la Terre sans mal, là où elle serait en sécurité auprès de son père. Quand il vit les yeux de Nessy s'agiter derrière ses paupières, il s'installa confortablement, les jambes en tailleur, prêt à la réveiller si elle s'affolait dans son sommeil.

Nessy marchait silencieusement auprès du dauphin rose. Pour une raison qu'elle ignorait, ils devaient se rendre à la source du grand fleuve. Arrivés à une

fourche, ils gardèrent la gauche et continuèrent ainsi pendant des kilomètres, en montant en altitude. Le nouveau fleuve était plus étroit que le premier, mais son courant était plus torrentiel. Parvenus à une embouchure, alors que l'altitude était considérable, le dauphin s'arrêta et émit des cris stridents. Nessy s'arrêta pour l'observer, intriguée par son attitude. Le dauphin ne pouvait plus avancer : là se terminait son fleuve, celui qui l'avait vu naître et qui le guidait. L'air à cette altitude lui était inconfortable. Nessy le comprenait, comme s'il lui parlait avec des mots. Il lui dit de continuer sans lui et de trouver la raison de cette quête qu'ils avaient entreprise. Elle se détourna et commença à escalader la montagne qui surplombait le cours d'eau. Elle était épuisée et avait peur toute seule. De temps en temps, elle regardait en bas afin d'apercevoir, dans les rapides bruyants du fleuve, son dauphin. Elle sentait qu'il était toujours là, car elle avait encore ce sentiment de bien-être qu'elle éprouvait auprès de lui. La montagne s'escarpait de plus en plus, et elle dut s'aider de ses mains endolories. Après quelque temps d'une escalade ardue, elle fut prise d'un vertige qui la paralysa. À bout d'énergie, elle s'écria :

— Je n'en peux plus ! Que dois-je faire de plus ?

Esteban s'avança en l'entendant. Il allait la réveiller lorsqu'il remarqua qu'elle se calmait. Son visage laissa transparaître un bien-être tel qu'il fut gêné de l'observer comme un intrus. Il se rassit et la laissa rêver.

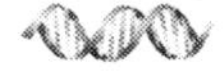

— Tu dois te libérer de ta peur et laisser ton esprit se concrétiser, lui laissa savoir le dauphin.

Nessy n'était pas certaine de comprendre, mais elle prit une grande respiration et, fermant les yeux, elle lâcha une main, puis l'autre, et son corps bascula. Se produisit alors un étrange phénomène. Elle se sentit tout à coup divinement légère, et tout doucement elle gagna le sommet de la montagne. À son grand étonnement, elle ne volait pas dans sa forme humaine, mais dans celle d'un magnifique papillon orange et noir. Au sommet, au beau milieu de ruines et de temples, elle aperçut ce qu'ils cherchaient, son dauphin et elle : une forme humaine étendue sur le sol.

Elle descendit vers le majestueux site au milieu duquel gisait un garçon à peine conscient. Il bougeait difficilement, au ralenti, dans les affres d'une agonie que Nessy ressentait fort bien. Elle éprouvait rarement de la douleur elle-même, mais de plus en plus elle percevait celle des autres. En traversant le pays avec Esteban, elle avait senti à quel point tant de gens souffraient, malades, en périphérie des villes qu'ils traversaient. C'était son don de guérisseuse qui évoluait et qui se développait hors de son contrôle. Nessy vola jusqu'au garçon qui parut l'entrevoir. Elle se posa sur sa poitrine, la douleur agissant comme un aimant sur elle. En sentant le cœur du garçon palpiter à tout rompre, elle s'affola, battant des ailes vigoureusement. Le garçon ferma les yeux...

— Nessy, Nessy, réveille-toi, répétait Esteban en la secouant doucement.

Nessy ouvrit les yeux, un peu perdue.

— Tu faisais un cauchemar, lui expliqua Esteban.

— Oh Esteban, c'était étrange. C'était avec mon père, le dauphin, et puis moi je volais.

Elle parlait à toute vitesse. Esteban l'enjoignit de se calmer. Elle se ressaisit un peu, puis lui expliqua son rêve. Il l'écouta, toujours curieux de leur signification.

— As-tu déjà volé, Esteban ?

— Pas comme tu l'entends.

— Que veux-tu dire ?

— Eh bien, à l'aube nous repartirons, et avant la fin de la journée nous arriverons dans le parc national des Everglades. Là, nous abandonnerons la moto pour prendre un hydravion et voler jusqu'à une île du Brésil, à l'embouchure du fleuve Amazone. Tu pourras voler tout éveillée. Mais pour cela il faut dormir, afin de pouvoir parcourir les kilomètres qu'il nous reste.

— Qui crois-tu que soit ce garçon ?

— Je ne sais pas. Tu ne le connais pas ?

— Non, mais il est mourant.

— On verra cela demain, d'accord ?

— D'accord.

Nessy se recoucha et Esteban s'éloignait silencieusement lorsqu'elle l'interpella.

— Esteban ? Tu es toujours là quand j'ai des cauchemars. Ne dors-tu jamais ?

— Oui, mais très peu. Ton père m'a enseigné la méditation, et grâce à elle je n'ai besoin que de très peu d'heures de sommeil. C'est pratique lorsqu'on est en danger, ça permet de faire le guet et d'éviter de se faire surprendre, lui expliqua-t-il. Je ne veux pas qu'il t'arrive quelque chose.

— Je me sens vraiment en sécurité auprès de toi, lui avoua-t-elle.

Esteban ressentit une fierté étrange devant cet aveu. Il ne put s'empêcher d'éprouver un certain sentiment viril et enivrant à l'idée d'être son protecteur. Il la remercia un peu maladroitement et sortit pour prendre l'air, laissant Nessy perplexe. Assis sur le perron et scrutant un ciel à peine étoilé, il se dit qu'il était grand temps qu'ils arrivent à destination. Ils avaient passé beaucoup de temps sur la moto, ces derniers jours, s'arrêtant seulement pour prendre de l'essence et pour se reposer lorsque leur corps n'en pouvait plus de fatigue, ce qui ne leur donnait pas beaucoup de temps pour se parler et se connaître, mais une complicité grandissante s'installait. Lorsqu'ils prenaient le temps de se parler, c'était souvent parce que Nessy s'interrogeait sur le monde, les problèmes et la rébellion qui se préparait. Esteban était toujours surpris de la maturité que démontrait la jeune fille, dont il était l'aîné de presque six ans. Mais deux mondes les séparaient, à proprement parler, celui de l'adulte et celui de l'enfance.

Esteban se sentait investi d'une force surprenante quand il était question de protéger cette jeune fille particulière, et il savait qu'il aurait bravé la fin du monde pour la protéger. Mais lorsqu'elle lui avait avoué que sa présence la sécurisait, il s'était senti désarmé et vulnérable, aux prises avec un sentiment fort embarrassant dans sa situation. Il voyait bien que cette fille d'une beauté unique pouvait le bouleverser en un éclair avec ses grands yeux verts envoûtants.

— Esteban, ne fais pas le pitre, se murmura-t-il pour lui-même.

Il retourna dans la chambre de motel. Nessy semblait dormir. Il s'assit donc à l'écart, dos à elle, pour faire sa méditation. Mais la jeune fille ne dormait pas, et elle l'entendit rythmer sa respiration. Elle l'observa silencieusement, se demandant ce qui avait causé chez lui un tel malaise quand elle lui avait déclaré se sentir bien auprès de lui. Ne trouvant pas de réponse, elle s'endormit finalement au son de ses inspirations contrôlées.

Esteban la réveilla avant l'aube. Elle ne réussissait toujours pas à s'habituer à ces réveils dans l'obscurité. Ils partirent après avoir avalé un simple morceau de pain, avec le soleil levant comme paysage, direction Miami.

En approchant de la grande ville, ils virent un ciel rougeâtre surplomber les gratte-ciels. Esteban s'inquiéta, car cela signifiait un taux de contamination élevé. Plus les nuages étaient foncés, plus les probabilités de pluies toxiques étaient grandes. Or, en moto, ce n'était pas un risque à prendre. Ils devraient attendre que le ciel s'éclaircisse ! Mais Esteban fut tiré de ses pensées lorsque Nessy se mit à le serrer trop fort à la taille. De ses mains crispées, elle lui incrustait les ongles dans l'estomac au travers de sa chemise, puis soudain, elle lâcha un cri de douleur. Déconcerté, il arrêta la moto au bord de la route. Il eut du mal à se libérer de sa prise. Descendant de l'engin, il se retourna vers elle et fut apeuré par son regard. Les yeux de Nessy partaient vers le haut, elle semblait souffrir.

— Nessy ! s'écria-t-il, inquiet. Qu'as-tu, Nessy ? Réponds-moi !

Nessy, qui semblait combattre pour réussir à le regarder, lui répondit difficilement.

— C'est la douleur, Esteban. Je sens trop de douleur.

— Où as-tu mal ? demanda-t-il, toujours plus inquiet.

— Non, ce n'est pas la mienne. C'est la douleur des gens malades, c'est atroce.

Esteban la regarda, préoccupé. Il savait que Pablo ressentait de la douleur lorsqu'il traitait des malades, mais pas de cette intensité, ni si loin des gens malades.

— Je ne peux pas la tolérer. Des millions de gens sont mourants dans cette ville. Ne m'emmène pas là-bas, je t'en prie ! s'écria-t-elle en larmes.

Esteban détestait la voir pleurer. Il se sentait désemparé devant ces rivières de larmes jaillissant de ses yeux, profonds comme la mer. Ils avaient évité toutes les grandes villes jusqu'à présent, et même si ça devait les rallonger, il lui promit qu'ils resteraient loin des agglomérations, puisque un nombre incalculable de personnes se mouraient dans les villes. Ça, il le savait, même s'il n'avait pas le don de Nessy. C'était une atrocité qu'il sentait à chaque voyage qu'il faisait.

Il demanda donc à Nessy de sécher ses larmes et ils remontèrent sur la moto pour s'éloigner de la ville, filant vers l'ouest, jusqu'à ce que la jeune fille semblât moins affectée.

Le soleil amorçait sa descente lorsqu'ils pénétrèrent dans le parc national des Everglades, ce qui compliquait un peu les choses, car la route n'était pas éclairée dans le parc. Heureusement, il leur restait moins de soixante kilomètres avant d'arriver à l'endroit où était caché l'hydravion qu'utilisait Esteban pour se rendre d'un continent à l'autre.

Après quelques minutes dans le parc, la noirceur s'installa autour d'eux. Esteban allait plus vite, car il voulait quitter le pays dans la nuit. Il n'eut malheureusement pas le temps d'éviter l'obstacle qui se trouvait sur leur route : un énorme alligator. Il freina, mais la moto glissa, couchée par terre, jusque dans les bois marécageux longeant la route. Il se releva et se précipita pour voir si Nessy n'avait rien.

— Ça va ? Tu n'as rien ?

— Non, ça va.

L'alligator, lui, n'avait pas eu cette chance. Ils le regardèrent, gisant pattes en l'air au milieu de la route.

— Qu'est-ce que c'est ? demanda Nessy, intriguée.

— Un alligator. C'est un prédateur. Certains d'entre eux, les plus gros, attaquent les humains. C'est étrange, d'habitude ils restent dans l'eau, sauf l'hiver, lorsque le niveau de l'eau est au plus bas. Ils s'aventurent alors dans la boue. Celui-ci ne nous attaquera pas.

— Il est mort ?

— Oui.

Le vent s'était levé et le ciel étoilé se couvrait rapidement. L'air était chaud. Esteban alla chercher la moto à moitié submergée dans l'eau et la boue. Elle était dans un piètre état. Nessy le regardait faire, curieuse, lorsque son regard fut interpellé par le ciel. Elle resta abasourdie par le spectacle qui s'offrait à elle ! Esteban, le regard fixé sur la moto, ne s'aperçut de rien jusqu'à ce que Nessy, inquiète, bégaye son nom. Il leva les yeux, stupéfait à la vue de la jeune fille pétrifiée. Il se retourna alors et vit le tourbillon immense qui s'était formé au sud et qui avançait vers eux.

— Une tornade ! s'écria-t-il, affolé.

Le vent s'intensifiait autour d'eux. La moto était inopérante. Ils devaient trouver refuge. Esteban empoigna la main de Nessy et ils partirent à la course. Non loin de là se trouvait un village abandonné qui, dans le passé, se composait d'un restaurant, d'un musée et de quelques maisons. Ils parvinrent à s'y rendre malgré la force des vents et se blottirent dans le sous-sol d'une petite maison en attendant que la tempête tropicale passe. Nessy était terrorisée et tremblait comme une feuille. Esteban la prit dans ses bras et se sentit lui aussi plus en sécurité. Nessy blottit sa tête sur l'épaule du jeune homme et ce dernier pria pour que rien ne leur arrive. Dehors, le bruit était infernal. Les fenêtres, qui étaient restées intactes malgré l'abandon de la demeure, éclatèrent. Les tuiles du toit s'envolèrent une à une.

Nessy et Esteban étaient dans l'obscurité la plus totale, au beau milieu de ce cauchemar climatique.

— CHAPITRE IV —

Pablo se réveilla couché en chien de fusil sur des paillasses. La tête lui tournait encore mais les nausées étaient passées. Il vit son assistant endormi non loin et le réveilla en le secouant doucement. L'homme se frotta les yeux pour chasser le sommeil encore lourd.

— Est-ce que j'ai parlé ? lui demanda Pablo, curieux.

— Oui, chef.

— Et qu'ai-je dit ?

— Vous avez dit « Machu Picchu », monsieur.

— C'est tout ?

— Non, vous avez aussi dit *vanessa cardui*, monsieur.

— Oui, ça me revient ! s'exclama-t-il en souriant. Un beau papillon orange et noir, une espèce disparue de la surface de la terre depuis quelques décennies, ajouta-t-il comme en réfléchissant tout haut.

L'homme, voyant que Pablo ne s'adressait pas vraiment à lui, demanda s'il pouvait se retirer, fatigué d'une courte nuit peu reposante.

— Oui, bien sûr ! Mais avant, appelle-moi Jorge et Raoul. Dis-leur de venir me voir chez moi, j'ai une mission pour eux.

L'homme s'empressa d'exécuter sa demande.

Les deux jeunes hommes arrivèrent chez Pablo peu de temps après. Ils avaient été tirés de leur sommeil à l'aube naissante et mis au courant de la demande de leur chef. C'étaient deux grands hommes aux traits européens marqués, l'un blond, l'autre châtain, tous deux les yeux bleus. Pablo les reçut chez lui. En préparant un mélange de plante, il leur expliqua leur mission. Il les avait choisis pour leur forme physique et leur endurance.

— Vous devez vous rendre au Machu Picchu. Là, vous y trouverez un jeune garçon mourant. Il s'est empoisonné aux champignons. Il faut faire vite. Vous arriverez à le réveiller avec cette huile que vous frotterez sous son nez. Ensuite, vous lui ferez boire une infusion de ces herbes aux trois heures. Quand il sera un peu remis, vous le ramènerez ici. Je dois le traiter avec d'autres plantes. Vous lui direz qui nous sommes, il ne devrait pas opposer de résistance.

Les deux jeunes hommes, qui avaient écouté religieusement les directives de leur chef, acquiescèrent.

— Prenez les motomarines. Vous irez plus vite. Vous n'aurez qu'à remonter le fleuve jusqu'à la fourche, puis prenez l'Ucayali jusqu'à l'Urubamba. Là, vous trouverez le chemin de l'Inca. L'accès est direct.

— Entendu, chef.

— Que Dieu vous garde !

Ils le saluèrent et partirent.

Pablo devait se rendre au village pour soigner des malades. Il alla voir Mistral, lui donna à boire et à manger, puis partit. Ce soir, le comité des rebelles du fleuve se réunissait pour discuter des problèmes causés par l'instauration de nouvelles lois dictées par les mesures d'urgence quasi mondiales.

Au petit hôpital du village il y avait foule, comme à l'habitude. Pablo reçut les patients l'un après l'autre, dans un bureau. Il prescrivait à chacun des infusions différentes, après avoir effleuré la partie du corps qui les faisait souffrir. Son expérience, il la devait à son père et à ses ancêtres avant lui qui, de père en fils, enseignaient l'art de guérir. Il la devait aussi à l'*ayahuasca*, qui le guidait dans l'apprentissage de mélanges botaniques complexes. Sa première expérience avec la plante sacrée, il l'avait eue à l'âge de douze ans, à peu près l'âge de Nessy. Son père l'avait initié comme le voulait la tradition pour le préparer au métier de guérisseur, don qui se transmettait héréditairement, mais aussi par éducation. Il en avait presque vomi ses tripes. Les hallucinations que lui avait procurées la plante lui avaient donné des cauchemars pendant des semaines. Après de nombreux jeûnes et cures draconiennes, il avait appris à contrôler les nausées et l'effet diurétique de la plante, pour pouvoir profiter plus positivement de ses effets hallucinogènes, qui permettaient aux guérisseurs d'entrer en contact avec les esprits de la forêt et la connaissance cosmique de notre planète, la terre-mère, Pachamama.

Après avoir travaillé sans arrêt jusqu'à la tombée du soir, il se prépara à se rendre à la réunion. Une vieille Métisse lui apporta de quoi manger, car avec autant de travail, il en oubliait souvent de se nourrir. Il ne pouvait pas être présent tous les jours à l'hôpital, car son rôle de chef des rebelles lui prenait beaucoup de temps et d'énergie, surtout avec les rébellions qui se soulevaient un peu partout dans le monde. La plupart des rebelles ne toléraient plus de rester terrés dans leur repaire. Ils voulaient maintenant renverser les gouvernements et prendre en main la société. Pablo était plus calme, il savait que quelque chose de bien pire que des guerres civiles et des coups d'État attendait l'humanité. La planète entière était en période latente. Un gros changement se préparait, que ses ancêtres appelaient le *pachakuti*. Mais ça, peu de gens qu'il s'apprêtait à rencontrer à la réunion y croyaient.

En particulier, le chef d'un camp de rebelles voisin. Qui était aussi le frère aîné de Pablo.

Martin, le guerrier, ne croyait pas beaucoup aux légendes, aux histoires d'esprits de la forêt ou de Pachamama. Son père l'avait aussi initié à l'herbe sacrée des chamans. Mais elle ne lui avait procuré que vomissements, diarrhées et maux de tête. Déçu, son père lui avait déclaré qu'il devrait alors être un bon guerrier pour ne pas déshonorer la famille, et il avait tourné tous ses espoirs vers son frère cadet, Pablo, qui, au grand soulagement du paternel, possédait les caractéristiques nécessaires pour devenir son successeur. Martin fut pris d'une jalousie rivale envers son frère. Il ne s'était réconcilié avec Pablo qu'une douzaine d'années plus tard, lorsque ce dernier avait reçu le même traitement de déshonneur de leur père pour avoir eu une liaison avec une *gringa, la Rubia*. Même si Pablo était Métis – sa mère était Péruvienne de parents blancs basques –, sa liaison avec une fille de la « terre maudite », ainsi que son père appelait le continent nord-américain, était un affront impardonnable. Et c'est ainsi que son paternel ne lui adressa plus jamais la parole jusqu'à sa mort, malgré la disparition de Julia après quelques mois de fréquentation. La relation des deux frères était cependant toujours précaire et conflictuelle, leur personnalité étant opposée, l'un prônant la guerre, l'autre l'harmonie naturelle.

Le camp de Martin n'était pas dans la zone hors brevet. Il vivait caché dans les recoins de la ville de Manaus. Le camp de Pablo, lui, était un territoire formant un triangle bordé par les trois villes des trois pays voisins : Iquitos à l'ouest, Manaus à l'est et Trinidad au sud. Même si le chaman n'était pas un guerrier, il possédait la plus grande armée de rebelles du continent. L'hostilité de la selva amazonienne lui donnait l'avantage de ne pas être facile à attaquer. Mais avec cette armée, Pablo se contentait de protéger la Terre sans mal qui hébergeait un énorme pourcentage des gènes non brevetés de la flore et de la faune terrestres, mais aussi les gènes humains particuliers et uniques comme le sien.

Pablo se rendit à la réunion qui se déroulait à l'école du village. De nombreux chefs de camps rebelles de différents pays du continent du sud étaient présents. L'armée de Pablo était aux aguets.

En entrant dans la grande salle de l'école, il alla directement embrasser son frère qui lui rendit son accolade. Pablo se dirigea ensuite vers l'avant. Il invita au micro les chefs de l'association des rebelles à le joindre à l'avant. Une dizaine d'hommes et quelques femmes prirent place à ses côtés. Son frère, qui était l'instigateur de cette rencontre, fut prié de prendre la parole et d'exposer la raison de cette convocation. Il s'adressa à eux en termes fraternels, leur expliqua la situation tendue dans le monde entier, l'incident au nord avec l'armée et les rebelles du camp de Victor, bien connu de leur hôte. Puis il lança le débat pour une rébellion armée sur tout le continent sud-américain.

L'assemblée fut parcourue d'un brouhaha homogène, car les esprits étaient échauffés à ce sujet. Pablo ressentit un léger étourdissement devant tant d'agressivité. De nombreux rebelles de différents camps respectaient énormément Martin le guerrier, car à plusieurs reprises il avait su prouver sa bravoure et avait contribué à leur cause. Mais Pablo était vénéré de tous. Son territoire exempt de brevetage, de manipulations génétiques et d'atteintes à l'éthique humaine, était un exemple de sagesse, de force, de pouvoir presque divin sur une planète bafouée de tous côtés et dans tous ses aspects. Lorsqu'il se leva pour parler, le silence se fit immédiatement, avant même qu'il n'atteigne le micro. Martin en sentit un pincement de jalousie.

— Mes frères, mes sœurs (quelques femmes présidaient des camps rebelles). Je sens vraiment votre rage et je compatis avec vous. Mais...

Martin laissa échapper un grognement de rage qui retentit dans la salle. Pablo l'ignora et poursuivit :

— Mais l'humanité est encore à genoux devant le vent destructeur, des milliers de gens meurent encore tous les jours. Une guerre sanguinaire ne ferait qu'aggraver ce phénomène. Pablo voulait éviter d'utiliser des termes comme *pachakuti*, car même si la plupart des anciens auraient été d'accord avec lui, les plus jeunes comme son frère n'acceptaient plus cette imagerie apocalyptique ancestrale. Nous devons survivre, continua-t-il, pour pouvoir rebâtir une humanité saine sur une terre saine.

Des rebelles applaudirent pour manifester leur accord.

— Produire des enfants manipulés génétiquement, ça c'est sanguinaire ! s'exclama Martin.

D'autres rebelles applaudirent.

— Je suis d'accord. Mais les gens sains qui survivent à toutes ces atroces maladies, nous ne pouvons pas nous permettre de les envoyer à la mort devant des armées mieux équipées que les nôtres.

Martin ne sut que répondre. Pablo continua :

— Personne ne dit que nous sommes d'accord avec leurs pratiques. Mais il ne faut pas agir comme si l'extermination des populations était terminée, car bien au contraire, elle continuera encore.

— Qu'en sais-tu ? l'apostropha son frère, de plus en plus agressif.

Pablo resta coi, car il ne pouvait pas dire qu'il l'apprenait des esprits.

— Dans la plupart des villages des rebelles ici présents, comme dans le tien, reprit Martin en gagnant de l'assurance devant le silence de Pablo, la repopulation gagne du terrain. Moi je crois au contraire que le temps est venu que le peuple reprenne en main son destin.

Les rebelles en grande majorité se levèrent et applaudirent avec enthousiasme.

— Ce serait une terrible erreur, murmura Pablo, encore au micro.

D'autres chefs prirent la parole à leur tour, la plupart à bout de patience devant les représailles mondiales et la situation inquiétante de leurs peuples.

Après la réunion, les rebelles visiteurs prirent le chemin du retour. Ils avaient conclu, pour la plupart, qu'ils devaient se préparer activement à l'imminence d'une rébellion armée à la grandeur du continent. Certains avaient été choisis pour aller en Europe, en Asie et ailleurs dans le monde pour sonder l'état des rebelles dans ces régions éloignées.

Martin passa chez son frère pour discuter plus personnellement avec lui. Pablo le reçut avec du maté, qu'ils prirent assis par terre dans l'humble demeure du chaman. Martin prit la parole sans détour :

— Pablo, il va falloir que tu t'ouvres les yeux et que tu agisses comme un chef guerrier se doit de le faire.

— Je ne suis pas un chef guerrier, Martin, je suis guérisseur.

— Ton armée a besoin d'un guerrier, pas d'un sorcier macaque aux cérémonies ridicules.

— Tes insultes ne changeront rien à qui je suis. En étant guérisseur au lieu de guerrier, je maintiens un équilibre qu'il me serait difficile d'obtenir autrement. La Terre sans mal, ou la zone hors brevet, si tu préfères, existe grâce à cet équilibre, et bien des atrocités inhumaines sont évitées grâce aux gènes particuliers qui sont préservés ici.

— La belle excuse. C'est grâce à elle que tu te caches ici, prétextant ne pouvoir quitter la zone au nom d'un gène miraculeux inventé par toi et des spécialistes biogénétiques utopiques.

— J'ai des dizaines d'enfants et d'adultes avec des gènes particuliers, vivant ici, pour te prouver le contraire.

— Si c'est vraiment le cas, la seule façon de les protéger serait de tous les tuer, car la milice mondiale finira par envahir ton territoire régi par des traités désuets, sous prétexte d'état d'urgence humanitaire.

Le ton augmentait considérablement, car Martin perdait patience devant la naïveté mystique de son frère cadet. Pablo restait calme et posé.

— Nous seront prêts à nous défendre et à défendre les intérêts des peuples de cette planète qui nous héberge, expliqua Pablo.

— Tes plantes hallucinogènes ont fini par te brûler les neurones, mon frère, lui lança cyniquement Martin. La seule façon de te défendre, c'est d'attaquer avant que leur attaque ne soit prête et puissante.

— Je ne suis pas guerrier, Martin.

— Je t'aurai prévenu, Pablo.

Martin termina son thé, se leva et salua son frère, sans rancune. Pablo l'embrassa chaudement, ne sachant pas s'ils se reverraient, car il savait fort bien que Martin passerait aux armes sans attendre le consentement de quiconque. Martin partit rejoindre les rebelles de son camp qui l'attendaient à l'école et s'enfonça dans la nuit avec eux, en direction de Manaus.

Pablo resta songeur et inquiet quant à l'avenir des rebelles et de la planète entière. Il se doutait bien que les militaires de différents pays attendaient impatiemment d'envahir la Terre sans mal.

Mais pour l'instant aucune milice ne pouvait se permettre ce luxe.

— Chapitre V —

Le chirurgien, tout de vert vêtu, sortit de la salle d'opération. Monsieur Vondenbirgh, assis dans la salle d'attente, se leva aussitôt.

— Alors, docteur ?

Le chirurgien ôta son masque et, le regardant dans les yeux, lui répondit :

— Tout s'est bien passé, monsieur. À vrai dire, elle a une chance inouïe d'être en vie. L'anévrisme était à un endroit très difficile à localiser.

— Mais elle est hors de danger, maintenant ?

— Elle va s'en remettre assez rapidement...

— Et les séquelles ?

— Très minimes, s'il y en a.

— Vous me rassurez énormément, docteur. Je suis content de m'être fié aux recommandations à votre sujet. Vous êtes le meilleur dans votre domaine.

— Merci, monsieur.

— Je pourrais la voir ?

— Dans quelques heures.

— D'accord, merci docteur.

Monsieur Vondenbirgh quitta l'hôpital pour ne revenir que quelques heures plus tard. Sa fille était éveillée depuis une heure. Elle ne savait pas vraiment ce qui se passait, mais sa tête était endolorie et entourée d'un bandage. Quand il entra dans la chambre, elle se plaignait de façon insolente à la pauvre infirmière.

— Comment allez-vous, ma chère ? demanda-t-il en lui présentant un bouquet d'orchidées superbes.

L'infirmière en profita pour s'éclipser.

L'adolescente reconnut l'homme qui lui parlait, et fut encore plus perdue. Elle savait qu'elle n'était pas à l'école, mais la présence de l'homme la troubla.

Monsieur Vondenbirgh remarqua son malaise et commença à lui expliquer :

— Tu nous as fait une peur bleue. Heureusement que j'ai engagé le meilleur chirurgien pour régler tout ça.

Elle le remercia timidement. Il poursuivit :

— Tu sais qui je suis ?

— Oui !

— Sais-tu quel jour nous sommes ?

— Non !

— Le jour de ton seizième anniversaire. C'est aujourd'hui que tu deviens majeure, et donc que tu prends officiellement ton nom d'Alice Vondenbirgh, ma fille. Mais pour l'instant, tu dois te reposer, car l'intervention que tu as subie au cerveau est majeure et très délicate.

L'adolescente, ou plutôt la jeune adulte, acquiesça. Elle n'avait pas beaucoup de force et toutes ces nouvelles semblaient plutôt accablantes dans un moment pareil.

Malgré l'importance de son opération, Alice se sentait déjà beaucoup plus rétablie le lendemain. Son père vint la voir en milieu d'avant-midi. Elle était anxieuse d'en savoir plus sur ce qui l'attendait à l'avenir. Car, après une bonne nuit de sommeil, elle était plutôt enorgueillie de ce qu'il lui avait déclaré la veille. Elle était fière d'avoir pour père cet homme si important, mais encore plus fière d'enfin porter son nom.

Il arriva, cette fois-ci, avec un magnifique bouquet d'oiseaux du paradis, une autre variété de fleurs qui, comme celle de la veille, était très rare et fort dispendieuse. Mais rien de matériel n'était inatteignable pour monsieur Vondenbirgh, un des hommes les mieux nantis au monde.

En effet, il était président de Dodecagen, la plus importante multinationale de biotechnologie, qui possédait une dizaine de filiales un peu partout dans le monde. En fait, il n'y avait rien que Dodecagen ne touchait pas : biogénétique, nouvelles technologies, défense nationale, pharmaceutique, éducation, pour ne nommer que ceux-là.

— Bonjour Alice, lui dit-il en lui offrant les fleurs.

Alice les prit et afficha un tendre sourire en guise de bonjour.

— Tu as l'air beaucoup mieux.

— Oui. L'infirmière a finalement compris qu'elle devait augmenter le débit de calmant dans le tube de soluté, comme je me suis obstinée à le lui faire comprendre hier.

— C'est bien, répondit-il en souriant fièrement. Il faut toujours leur faire savoir à qui ils ont affaire.

Alice le regarda dans les yeux et sentit qu'ils étaient de la même race.

— Le chirurgien m'a dit que grâce aux technologies les plus avancées dont il disposait pour l'opération, ta convalescence sera accélérée. Tes cheveux repousseront d'ici la fin de la semaine et ta cicatrice ne sera plus visible. Personne ne saura que tu as subi une intervention chirurgicale et j'ai l'intention que ça reste secret, expliqua Vondenbirgh d'un ton sérieux. Bientôt, l'incident de ta dernière semaine à l'école ne sera plus qu'un vague souvenir sans importance.

Alice baissa les yeux, un peu honteuse au souvenir de l'incident et acquiesça de la tête.

— Que vais-je faire maintenant ? demanda-t-elle, curieuse.

— Demain, tu sors d'ici. Pendant quelques semaines, tu resteras à la maison, et après tu entreras à la meilleure université du monde, dont nous sommes propriétaires. Tu y feras un baccalauréat en accéléré avec les meilleurs professeurs, car le temps presse et j'ai de grands projets pour toi.

— Quels projets ?

— Pour l'instant, la vice-présidence de Dodecagen.

Alice s'emplissait d'orgueil. Dès son tout jeune âge, elle avait senti qu'elle était faite pour mener les autres :

— Mais auparavant, tu dois me prouver que tu es à la hauteur, rajouta sèchement son père.

— Vous ne serez pas déçu ! déclara-t-elle avec assurance.

— Je l'ai été ces dernières semaines !

Alice n'apprécia guère cette cinglante réplique. À l'évocation de ce qu'elle avait vécu au cours des dernières semaines, elle sentit son cœur se durcir dans sa poitrine. Une lueur de hargne étincela dans ses yeux et sa respiration se glaça. Elle rétorqua sur un ton de reproche :

— Les responsables de cette fâcheuse... erreur seront trouvés et punis, je l'espère.

— J'y compte bien.

Alice se jura que quelqu'un allait payer, et le plein prix, pour l'embarras dans lequel elle s'était retrouvée. Elle, première de classe et dotée de la meilleure équation génétique possible, atteinte d'une maladie indigne de son rang et son nom !

Elle se jura aussi de répondre au défi que son père lui lançait. Il verrait qu'il avait tout pour être fier de sa fille.

Le lendemain, Alice préparait son départ de l'hôpital. Son père devait venir la chercher dans quelques heures, en début d'après-midi. Devant son miroir, elle injuriait la pauvre infirmière, qui après deux jours auprès d'une telle insolente, avait envie de démissionner.

— Dépêchez-vous de m'ôter ce bandage ! s'écria Alice, impatiente.

— Oui, madame.

Lorsqu'Alice commença à voir sa chevelure encore rase sur sa tête et une cicatrice qui lui traversait diagonalement le front, jusqu'à l'arrière de la tête, elle dut prendre appui sur le mur pour ne pas perdre l'équilibre. Elle lâcha un cri de rage. L'infirmière, qui finissait de dérouler le bandage, en trembla de peur.

— Appelez-moi ce docteur ! cracha Alice.

L'infirmière déguerpit, non sans un certain soulagement. Le chirurgien se présenta à la porte de la chambre d'Alice presque instantanément. Il la regarda le dévisager furieusement, et d'un ton calme lui expliqua :

— Ne vous en faites pas, madame. D'ici deux jours, tout sera disparu.

— Vous croyez que je vais me présenter ainsi devant mon père ?

— Il est au courant de ce délai déjà incroyablement écourté.

— Je ne sortirai pas défigurée ainsi, cela lui infligerait une honte monumentale, lui lança-t-elle hautainement. Trouvez-moi une solution tout de suite, si vous ne voulez pas que je vous fasse retirer votre licence de chirurgien !

Le praticien, un homme d'une soixantaine d'années aux cheveux blancs clairsemés, se plut à imaginer la correction qu'il mourait d'envie de lui donner. Cependant, il garda son calme et sortit en lui répondant :

— Tout de suite, madame Vondenbirgh.

Alice était furieuse. Elle refusait catégoriquement que son père la voie ainsi. Mais ce qu'elle redoutait le plus, c'était de devoir rencontrer sa mère dans cet état. Elle était pourtant impatiente de la rencontrer ;

elle l'imaginait grande, élégante et belle, un peu comme elle-même. Depuis son réveil à l'hôpital, elle n'était pas venue la voir, et son père n'y avait même pas fait allusion. Alice s'imagina que sa mère devait être une femme très occupée.

Une maquilleuse se présenta, avec une valise pleine d'accessoires de beauté. En une demi-heure, Alice fut fin prête, une perruque identique à ses cheveux blond or frisés soigneusement installée sur sa tête et la cicatrice disgracieuse disparue sous un maquillage professionnel. Elle enfila une jupe tailleur de haute couture, qui la vieillissait mais qui mettait en valeur sa silhouette élancée. Elle se regardait fièrement dans le miroir, satisfaite de l'image qu'il lui renvoyait.

Monsieur Vondenbirgh arriva peu de temps après pour l'amener à leur demeure. Alice eut exactement la réaction qu'elle désirait de son père. Il fut ébloui par la prestance qu'elle dégageait et par sa beauté élégante. Elle fut cependant déçue de ne pas voir sa mère auprès de lui, qu'elle aurait voulu épater également.

— Tu es radieuse, ma grande, lui déclara-t-il fièrement.

— Merci, père.

— Viens, rentrons à la maison.

Ils prirent l'ascenseur et descendirent jusqu'au stationnement intérieur, au sous-sol du bâtiment, où une luxueuse limousine les attendait. Le chauffeur, qui se tenait debout près de la voiture, leur ouvrit la portière et salua la nouvelle patronne chaleureusement.

— Bonsoir, madame Vondenbirgh. Je suis honoré de faire votre connaissance.

— Merci, répondit-elle brièvement, sans même lui jeter un regard.

La voiture sortit du stationnement et Alice regarda la ville qui se déployait sous ses yeux pour la toute première fois. Le ciel était gris, et un brouillard épais et rougeâtre encerclait les édifices. Alice regarda, déçue, ce paysage peu accueillant.

— L'indice de contamination est élevé aujourd'hui, lui expliqua son père. L'air est loin d'être comme celui près de ton école. C'est d'ailleurs une des raisons pour lesquelles nous avions choisi cette école, ta mère et moi. En plus de jouir d'une solide renommée académique, elle était située dans un environnement qui affichait la meilleure qualité d'air. À l'intérieur des écoles, l'air est toujours d'une excellente qualité et les enfants ne sont pas autorisés à sortir, mais sait-on jamais ? Un problème de conduits d'aération pourrait survenir...

C'était la première fois qu'il faisait allusion à sa femme devant elle. Alice ne put se retenir de le questionner.

— Est-ce que je vais la voir aujourd'hui ?

— Qui ça ? répondit Vondenbirgh, ne voyant pas à qui elle faisait allusion.

— Ma mère.

Il détourna le regard et resta silencieux, fixant le paysage par la vitre de la limousine. Ce silence la rendit mal à l'aise. Elle attendit, troublée par son attitude.

— Non, répondit-il finalement sans lever les yeux vers elle. Elle est décédée, il y a de cela un an.

Figée par cette déclaration, Alice murmura timidement ses regrets.

— Elle était très malade et ces incapables de médecins n'ont rien su faire pour la sauver ! ajouta-t-il sur un ton furieux.

Alice s'identifia à sa rage, non qu'elle éprouvât le moindre sentiment pour cette femme qui aurait été sa mère, mais plutôt parce qu'elle avait déjà cette attitude de dieu tout-puissant qui caractérisait sa personnalité, à l'instar de son père. C'était d'ailleurs leur point commun le plus frappant et le plus choquant.

Après cette révélation, Alice resta songeuse. En fait, cette situation lui plaisait, car elle se dit que sans la présence de cette femme elle aurait toute la place auprès de son père. Sa mère aurait probablement été une rivale dans la quête de pouvoir qu'elle entreprenait aujourd'hui, qui visait la compagnie et la fortune de son père.

Vondenbirgh resta silencieux lui aussi, songeant à sa femme qui lui manquait énormément. Elle avait tellement anticipé, pendant les dernières années, la venue de leur fille à la maison. Maintenant que ce jour était arrivé, elle n'était plus là.

La limousine sortit de la ville. Le brouillard lugubre se dissipa, laissant entrevoir aux portes de la ville des boisés clairsemés, composés d'étranges arbres sans feuilles, chétifs, envahis de boursouflures noires et vertes.

Après une bonne demi-heure de route, ils pénétrèrent dans un vaste domaine. La voiture se rendit jusqu'au bout de la route qui se terminait devant un majestueux manoir. La porte du garage s'ouvrit et la limousine avança dans la pénombre. La porte se referma derrière eux et les lumières s'allumèrent. Un ventilateur puissant se fit entendre. L'extracteur d'air fit évacuer tout l'air contaminé pour le remplacer par de l'air pur. Lorsqu'une lumière verte se mit à clignoter sur le mur en face de la voiture, le chauffeur descendit pour leur ouvrir la portière. Les Vondenbirgh se dirigèrent vers un ascenseur pour monter dans le manoir : un bâtiment immense et luxueux, aussi grand que l'école entière qu'Alice avait quitté à peine trois semaines plus tôt.

La jeune femme jubilait devant tant de luxe. Elle sentait qu'une vie de princesse l'attendait dans ce château magnifique. Son père l'avertit d'ailleurs qu'une grande soirée en son honneur serait donnée la semaine suivante, histoire de souligner cet anniversaire significatif de son passage au monde adulte.

En sortant de l'ascenseur, ils furent accueillis par un majordome et une bonne, qui les attendaient silencieusement.

Vondenbirgh remit son pardessus au majordome et présenta les deux domestiques à Alice. Il ajouta que madame Sanchez lui montrerait ses quartiers et qu'ils se verraient, elle et lui, à l'heure du repas. Puis il se retira pour aller travailler dans son bureau.

Madame Sanchez, une dame d'une cinquantaine d'années, d'origine guatémaltèque et au fort accent hispanique, conduisit Alice à ses appartements. Elle avait à sa disposition une chambre, deux salons, une bibliothèque, un bureau, des salles de bain luxueuses et un solarium donnant sur le jardin intérieur du manoir. Bref, elle ne manquait de rien. Dans un salon attenant, elle trouva une garde-robe complète des derniers modèles de la haute couture. Elle rencontra son tailleur personnel, une maquilleuse et une coiffeuse. Alice marchait sur un nuage, souriant à chaque découverte du luxe qui s'offrait à elle. Mais, malgré l'extase, elle sentit la fatigue de son opération récente la gagner, et elle dut se retirer dans sa chambre pour faire une sieste avant le repas.

Une fois seule, elle poussa un soupir de béatitude. Devant le miroir d'une vanité, elle sourit, satisfaite de son destin. Elle ôta sa perruque et grimaça devant sa chevelure incomplète, bien qu'elle eût poussé de quelques centimètres depuis le retrait du bandage dans la matinée.

Alice tenta de se remémorer les derniers événements de sa vie. Elle se souvenait avoir été sortie du coma par cette petite peste de N8836, que l'armée cherchait partout. Puis, quelques jours plus tard, plus rien ! Elle se réveillait, il y a deux jours, à l'hôpital qu'elle venait de quitter. Combien de temps s'était écoulé entre ces deux événements, elle l'ignorait. Elle se coucha, troublée par ces pensées, mais ne tarda pas à s'endormir.

Lorsque la bonne la réveilla, le soir tombait. La maquilleuse et la coiffeuse l'attendaient dans le salon d'habillement pour la préparer en vue de son repas avec son père.

En se rendant avec madame Sanchez jusqu'à la grande salle à manger, elles passèrent devant la porte du bureau de monsieur Vondenbirgh. La bonne, qui familiarisait Alice avec sa nouvelle demeure en lui expliquant le rôle de chacune des pièces sur leur passage, s'interrompit lorsqu'elle entendit son maître pris d'une terrible quinte de toux, qui semblait lui arracher la gorge et les bronches. Elle n'hésita pas une seconde et cogna pour s'assurer que l'homme n'avait pas besoin d'aide. Voyant qu'il était incapable de répondre, elle se permit d'ouvrir : elle le trouva debout, appuyé sur son bureau, crachant du sang dans un mouchoir. Elle ne perdit pas une seconde et appela l'infirmière d'une voix affolée, qui parut apocalyptique lorsqu'elle retentit dans tout le manoir par l'interphone.

Par la fente de la porte du bureau, Alice voyait son père en proie à des convulsions chaotiques. Malgré la gravité de son état, il faisait des signes à la bonne pour qu'elle ferme la porte. Ce fut l'infirmière qui la referma à son arrivée, quelques secondes après l'appel, après être passée devant Alice sans la voir.

La toux cessa enfin. La porte se rouvrit. La bonne ressortit, encore ébranlée, et tenta de rassurer Alice en lui disant que ce n'était rien. Elles s'éloignèrent toutes deux et Alice la questionna avec curiosité :

— Qu'est-ce qu'il a ?

La bonne restait silencieuse. Elle n'avait pas la permission d'en parler. Elle redoutait déjà les représailles qu'elle subirait pour avoir exposé la jeune fille, qui ne devait pas apprendre la situation de son père, à ce terrible secret. Alice s'impatienta devant ces cachotteries.

— Madame Sanchez, je vous ai posé une question ! exprima-t-elle en haussant le ton.

— Je vous en prie, madame, ne vous fâchez pas, supplia-t-elle en baissant les yeux. Monsieur ne veut pas que je vous en parle. Il vous expliquera en temps et lieu.

Alice décida de laisser une chance à la domestique, non par respect ou même par pitié, mais plutôt parce qu'elle se sentait étourdie par l'événement, et probablement aussi par la faim. Elles étaient parvenues à la salle à manger, et l'odeur du repas qui montait des cuisines sous-jacentes confirma cette impression. Elle décida d'aller manger. La bonne tira la chaise d'Alice et lui dit que son père la rejoindrait sous peu, mais qu'il avait demandé qu'elle commence le repas sans lui.

Une domestique la servit et Alice mangea avec appétit, pas plus indisposée par l'événement. Elle se régalait d'un somptueux festin lorsque son père vint se joindre à elle, mine de rien ; il semblait remis de sa vilaine toux. Ils se saluèrent et finirent le repas sans échanger mot. Après avoir été desservi, monsieur Vondenbirgh commença en baissant les yeux :

— Je ne voulais pas que tu le saches tout de suite, au sujet de ma santé, mais puisque c'est ainsi, je vais te dire toute la vérité. Alice, il ne me reste pas beaucoup de mois à vivre. Je souffre d'un virus qui me ronge les bronches. Ce satané virus, qui a réussi à déjouer tous les vaccins qu'ont pu inventer les spécialistes, est incurable. Ta mère en a péri, et maintenant, il m'achève moi aussi. Toute ma fortune n'a pas suffi à trouver une cure pour sauver ta mère, et je doute qu'elle permette de me sauver à mon tour.

La première préoccupation qui vint à l'esprit d'Alice concernait une possible contagion, mais son père y répondit sans qu'elle eût à la formuler : il expliqua que le virus avait été maîtrisé à l'échelle mondiale, mais qu'il tuait quand même les personnes infectées avant la découverte du sérum protecteur, celui-ci ne pouvant protéger que les gens non infectés. La seconde pensée qui occupait Alice était ce sentiment qu'elle avait éprouvé de n'être qu'à « l'essai » dans le rôle de fille, parce qu'elle avait été malade. En fait, il n'avait pas beaucoup de choix, songea-t-elle. Elle était la seule à qui il puisse léguer sa fortune. Elle ressentit un plaisir mesquin devant le pouvoir enivrant qui s'offrait à elle.

Revenant à la conversation avec son père, elle joua le jeu et lui offrit son entière collaboration, tout en exprimant de profonds regrets devant cette triste nouvelle. Le monde était tellement près d'être à ses pieds. Monsieur Vondenbirgh la remercia d'être aussi préoccupée par sa santé.

En fait, contrairement à elle – qui n'avait pas tissé de liens avec ses parents puisqu'elle ne les avait ni vus ni connus –, Vondenbirgh s'était attaché à cette fille de qui il recevait chaque mois des nouvelles et parfois même des photos, privilège que ne pouvaient se permettre que quelques clients. C'était toujours des photos d'elle posant avec ses nombreux *Meritas*, ce qui l'emplissait de fierté et d'orgueil. Il l'avait vue grandir à travers les photos et attendait, aussi impatiemment que sa femme, son arrivée à leur majestueuse demeure, afin qu'elle apprenne à gérer ses affaires : sa compagnie et sa fortune. Ce rôle, Alice l'épousait sans retenue et avec avidité. Aux yeux de son père, elle était parfaite, malgré l'incident du coma d'il y a trois semaines. Ce qu'il ignorait totalement, c'était que, quelques jours avant cet incident, elle avait déjà été extirpée d'un coma par une fille bien particulière.

Il n'avait pas été mis au courant, car toute allusion à la guérison avait été cachée par l'école, sous l'ordre même des dirigeants militaires, qui voulaient garder secrète la découverte d'un gène miraculeux.

Le fameux gène Boto.

— CHAPITRE VI —

Raoul et Jorge avaient entamé la montée du chemin de l'Inca après cinq jours de navigation sur les fleuves Amazon, Ucayali et Urubamba. Ils arrivèrent épuisés au site sacré, où ils se mirent à chercher le jeune garçon malade. Ils le trouvèrent étendu au beau milieu des ruines, inconscient. Ils réussirent à le réveiller avec l'huile que Pablo leur avait donnée. Il était en piètre état, souffrant d'une asthénie sévère et agonisant de douleur. Ils durent lui verser dans la bouche l'infusion tiède qu'ils avaient préparé. À la deuxième infusion, trois heures plus tard, Luis commençait à être plus conscient et à sentir ses muscles.

Raoul et Jorge lui expliquèrent, petit à petit, qu'ils étaient des rebelles et que leur chef les avait envoyés pour le ramener à la Terre sans mal, où il serait complètement guéri et où il pourrait vivre.

— La Terre sans mal ? demanda Luis, curieux.

— Oui, c'est au nord du Pérou, c'est la zone hors brevet où vivent les gens qui sont différents et qui sont en désaccord avec les gouvernements, lui expliqua Raoul.

— Il y a plein d'enfants de ton âge qui y vivent. Ils vont à l'école et apprennent la vie comme avant, ajouta Jorge.

— Ma mère m'a déjà parlé de cet endroit.

— Où est ta mère ? demanda Raoul.

— Elle est morte, dit tristement Luis.

— Désolé !

— C'est loin, la Terre sans mal ?

— De quatre à cinq jours d'ici, répondit Raoul.

Jorge se leva pour aller chercher du bois pour faire un feu, car la nuit tombait.

— Tu devais être en forme pour te rendre en marchant jusqu'ici.

— Oui, c'est après que je me suis empoisonné.

— Auras-tu la force de redescendre ?

— Ne vous en faites pas, si je retrouve mes forces demain, je ne vous ralentirai pas.

— Nous prendrons le temps qu'il faudra, répondit Raoul, amusé par l'orgueil du garçon.

Jorge revint avec le bois et alluma le feu. Il prépara le repas qu'ils mangèrent tous les trois.

Luis n'avait plus de nausées ni de crampes. Il prit une autre infusion de Pablo après le repas et se sentit de mieux en mieux. Il était content que les rebelles l'aient trouvé à temps et se demandait par quel miracle ils l'avaient localisé. Intrigué, il interrogea Raoul :

— Comment saviez-vous que j'étais ici ?

— Notre chef, Pablo, est un chaman. Les esprits le guident.

Luis le regarda avec incertitude. Il n'était pas familier avec ces croyances. Sa mère ne lui avait jamais parlé d'esprits.

Ils se couchèrent tôt tous les trois. Le lendemain matin, Luis se sentait en pleine forme. Sa force et son endurance revenues, ils plièrent donc bagages après le repas et prirent le chemin du retour. Les deux rebelles furent surpris de l'état général du jeune garçon qui venait d'échapper à la mort par un cheveu.

Même si les deux hommes étaient en pleine forme et entraînés à l'effort physique, ils ressentaient quand même la fatigue de leur aventure. Mais Luis, lui, semblait infatigable. Sa respiration restait normale, peu importe s'il escaladait, courait ou descendait. Jorge et

Raoul se sentaient ridicules de devoir arrêter pour reprendre des forces, alors que ce jeune garçon à peine remis d'une intoxication reflétait la pleine forme. La chaleur du soleil, à mesure qu'ils descendirent en altitude, se fit sentir. Les deux jeunes hommes allégèrent leur tenue, mais Luis préféra garder son poncho épais, lourd et chaud. Raoul trouva cela étrange, et lui proposa même un de ses tee-shirts, mais sans succès.

Finalement, Luis n'en put plus et accepta l'offre du jeune homme. Il tenta bien d'échapper à leur regard pour se changer, mais les deux jeunes hommes, qui étaient intrigués par cette pudeur démesurée, ne le quittèrent pas des yeux. Leur réaction fut bien celle que Luis redoutait. Les deux jeunes hommes restèrent ébahis devant ce torse musclé à envier.

— Seigneur, t'es quoi toi, athlète olympique ? s'exclama Jorge malgré lui.

Luis, gêné, baissa les yeux sans répondre.

Raoul donna un coup de coude à son compagnon maladroit et dit :

— Bon, allons-y. Vaut mieux pas traîner ici !

Luis entama le pas sans mot dire. Ils se rendirent assez rapidement à l'endroit où les deux rebelles avaient laissé les motomarines. Luis fut surpris par ces drôles d'engins. En fait, les motomarines n'étaient pas très courantes en Amazonie, mais celles-ci étaient une gracieuseté de Victor, qui les avait envoyées du Nord, où elles étaient plus répandues.

Raoul invita Luis à monter derrière lui et ils entreprirent le retour vers la Terre sans mal, mais ils devaient auparavant s'arrêter dans un village pour se procurer de l'essence. Luis adora la sensation de glisser à toute vitesse sur le fleuve.

Arrêtés au village de Corihuayrachina, Jorge partit chercher de l'essence, pendant que Luis et Raoul restaient au port. Luis regarda autour, inquiet. Il redoutait que des ACEC rôdent aux alentours et le reconnaissent. Raoul, remarquant sa tension, le questionna :

— Tu as peur de quelque chose ?

— Je suis vigilant.

— Vigilant de quoi ?

Luis regarda Raoul sévèrement, agacé de ses questions.

— Je n'aime pas les interrogatoires.

Raoul lui sourit, toujours amusé par la personnalité du jeune garçon.

— Tu ne dois pas te faire marcher sur les pieds souvent, toi ?

— Non, je n'y tiens pas vraiment !

— Je me doute bien que tu ne t'es pas réfugié au bout du monde pour faire du tourisme. Tu n'as pas à te méfier de moi, Luis.

— Je ne veux pas qu'ils me trouvent.

— Qui ça, ils ?

Luis soupira puis répondit :

— Les ACEC.

— Oh, s'exclama Raoul, d'accord. On ne s'arrêtera pas trop souvent, dans ce cas-là.

— Merci !

— Ils t'ont déjà attrapé ?

— Oui.

— Tu étais dans un de leurs centres ?

— Oui.

— Il paraît qu'ils font des atrocités aux enfants qui y sont emmenés.

— Je ne sais pas. Moi, j'étais endormi et lié à mon lit. Je me suis évadé, et maintenant, ils me cherchent.

Jorge arriva avec l'essence et Raoul lui fit signe de presser le pas.

— Des agents de contrôle des enfants conçus le recherchent. Vaut mieux ne pas rester ici.

Ils partirent aussitôt après avoir fait le plein des deux motomarines.

Sur le chemin du retour, ils croisèrent quelques embarcations. Les gens regardaient toujours avec surprise les motomarines, mais ne portaient pas vraiment attention aux voyageurs. Rendus au fleuve Urayali, ils durent s'arrêter pour la nuit. Raoul et Luis montèrent le camp pour dormir, pendant que Jorge alla chercher de l'essence et des provisions à Pucallpa.

— Chapitre VII —

Édouard composa le code secret pour pénétrer dans les laboratoires de Cogenpharm. Le garde de sécurité posté à l'entrée le salua, étonné de le voir là. Depuis qu'Édouard était ministre de la Santé, il ne présidait plus vraiment le conseil d'administration de la compagnie. Mais la semaine dernière, il avait officiellement remis sa démission en tant que ministre. Tous les préparatifs pour son départ en voyage étaient prêts. Cogenpharm était sa dernière escale avant l'aéroport. Il avait une ancienne collègue de longue date à revoir.

Il se dirigea vers les laboratoires biogénétiques où il trouva un autre garde de sécurité, qui l'intercepta :

— Monsieur Names ?

— Bonjour. J'aimerais parler avec une généticienne du nom de Derosa.

— Avez-vous un permis ?

Édouard lui présenta le papier. L'homme vérifia la signature et le laissa entrer. Édouard pénétra la zone sécurisée, espérant croiser le moins de spécialistes possible pour éviter les salutations et bavardages inutiles. Son vœu s'exauça, car à cette heure matinale, il n'y avait pas foule encore, mais Édouard connaissait les préférences de Mathilde : matinale et solitaire. Comme de fait, il la trouva derrière son ordinateur, concentrée sur son travail. Il s'approcha, et d'une voix plus douce qu'à l'habitude, dit :

— Toujours aussi dévouée, ma chère Mathilde.

Mathilde, reconnaissant l'homme qui lui parlait, resta figée d'étonnement. Elle recula sa chaise doucement, se leva et se retourna vers celui qu'elle n'avait pas revu depuis des années. Elle le regarda longuement, incertaine de l'attitude à prendre. Devant ce long silence, Édouard se sentit mal à l'aise. Remords, honte, peine, lui non plus ne sut quel sentiment l'envahissait en revoyant la femme qui avait été bien plus que sa collègue. Elle brisa le silence finalement :

— Édouard Names, est-ce ton fantôme ?

— Non, c'est moi en chair et en os. Après tant d'années, tu n'as pas changé, Mathilde.

— Oh, j'ai changé, Édouard. Et toi aussi, d'après ce que j'ai su.

— La vie m'a changé.

— Est-ce vraiment la vie ou bien l'ambition ?

— Tu m'en veux encore ?

— Comment peut-on pardonner à quelqu'un qui disparaît sans aucune explication, pas même... pas même à...

— ... à la femme qu'il aime. Tu peux le dire, Mathilde. Tu as été la seule femme que j'aie aimée après la mort de ma femme, la mère de Julia, mais c'était trop compliqué, trop risqué.

— Je l'aurais pris ce risque, si tu m'en avais donné le choix. Tous ces sacrifices, pourquoi ? Pour te débarrasser de ta petite-fille, Nessy, quelques années plus tard, comme une chose honteuse.

— Ce n'est pas ce que tu penses. Elle risquait trop, cachée chez moi.

— Et maintenant, elle est recherchée par toute la milice du pays.

— Comment sais-tu tout cela ?

— J'ai mes sources.

— Je me suis juste trompé... mais c'était illégal ! Nessy n'avait pas d'avenir, cachée chez moi !

— Tu me déçois, Édouard !

— Mathilde, je ne suis pas venu me disputer avec toi. Je veux retrouver ma petite-fille.

— Pour breveter son gène ?

— Mathilde ! s'offusqua-t-il.

Après l'histoire de Nessy, Mathilde n'avait plus jamais vu du même œil cet homme qu'elle avait pourtant aimé. Nessy était tellement douce, gentille et aimante, comment un homme ayant un cœur aurait-il pu la renvoyer loin de ses proches ? Et Julia dans tout ça ? Édouard lui avait volé sa fille !

— Comment est devenue Nessy ? demanda Édouard.

— Un amour ! Douce, intelligente, belle et très attachante. Elle me manque énormément. J'espère que rien ne lui est arrivé.

Édouard fut pris d'un sentiment de tristesse désemparant, les larmes lui montèrent aux yeux. Il regrettait tout. Ses décisions étaient toujours celles de la logique, jamais celles de son cœur, et aujourd'hui, il sentait que tout ce qui comptait vraiment pour lui s'évaporait devant ses yeux.

Mathilde resta de glace devant sa tristesse. Elle lui en avait voulu pendant tant d'années de l'avoir quittée sans mot dire, et maintenant, elle lui en voulait pour Nessy.

— Je doute que tu puisses réparer tes erreurs, Édouard.

— Je dois essayer. Je t'en prie, aide-moi.

— Moi ? Regarde ma prison. Elle fit un signe pour montrer le laboratoire où elle était gardée sous ordre d'État. Les gens comme toi, vous êtes mes geôliers.

— Mathilde, dis-moi où elle est.

— Édouard, tu commets une erreur.

— Fais-le pour Julia. Ses jours sont comptés.

— Julia ? C'est toi qui lui as volé sa vie.

— Je veux la lui rendre, même si cela signifie qu'elle me déteste et parte avec Nessy.

— Partir où ? Grâce à toi, elles n'auront jamais une vie normale. Traquées comme du gibier pour le reste de leurs jours. Maintenant, tu vas devoir faire un choix plus difficile que ceux que tu as faits déjà, Édouard. Nessy est bien là où elle va. Pense à l'humanité.

— Je ne peux pas porter la mort de Julia sur le cœur.

— Et celle de millions de gens, tu le peux ?

— La zone hors brevet, c'est là que va Nessy, n'est-ce pas ?

— Tu n'es pas raisonnable.

— Tu sais qui est son père ?

— Non, je l'ignore.

— Mon avion part dans une heure, je la trouverai sans ton aide.

— Ça me peine que tu t'entêtes à lui faire du tort.

— Au revoir.

Édouard ne voulait plus qu'elle le fasse sentir coupable. Sa décision était prise. Il se retourna en pressant le pas.

— Adieu, murmura Mathilde, peinée.

Édouard monta dans sa limousine et dit au chauffeur :

— À l'aéroport !

Plusieurs heures plus tard, il remettait son passeport au douanier brésilien.

— Bienvenue à Manaus, lui dit le jeune homme.

— Merci.

Il arriva à l'hôtel en fin d'après-midi. Il prit un repas léger et monta se coucher tôt, fatigué de son voyage. Le lendemain, il devrait entrer en contact avec d'anciennes connaissances. Cela faisait presque treize ans qu'il avait quitté cette ville avec sa fille, et tout le tourbillon que cela avait engendré.

— Chapitre VIII —

Esteban ouvrit les yeux, inquiet. Le soleil s'infiltrait entre la cage d'escalier et les lattes du plancher supérieur, à moitié arrachées. Nessy, encore assoupie sur sa poitrine, respirait paisiblement sur sa chemise froissée. Sa longue chevelure noire lui recouvrait le visage. Esteban, d'une main douce mais incertaine, lui dégagea les yeux en repoussant ses cheveux, craintif de la sortir d'un si paisible sommeil. Nessy bougea et ouvrit tranquillement ses beaux grands yeux verts, pour les poser directement dans le creux de ceux d'Esteban.

— Est-ce que c'est fini ? lui demanda-t-elle en chuchotant, comme si la tornade pouvait l'entendre.

Esteban l'éloigna doucement de sa poitrine. En se levant, il lui répondit :

— Oui, je crois bien.

Il regarda autour d'eux pour évaluer les dégâts. L'étage supérieur avait presque disparu. Nessy le suivait de près, apeurée par le paysage chaotique qui les entourait. Elle aurait voulu qu'Esteban la rassure, mais le jeune homme était songeur et ne parlait pas. En fait, une seule pensée accaparait la tête de ce dernier en voyant l'ampleur de la tempête qui était passée par là. Il souhaitait de tout cœur que l'hydravion ait été épargné.

La tornade avait considérablement augmenté le niveau d'eau des marécages. Lorsqu'ils réussirent à se sortir du sous-sol de la maisonnette, ils aperçurent d'énormes marais longeant la route submergée par endroits. Nessy fit sursauter Esteban en poussant un cri d'émerveillement à la vue des innombrables spatules roses qui recouvraient la moitié des marais.

— Oh, que c'est beau ! Tu as vu tous ces oiseaux ?

Esteban lui sourit, encore troublé par l'inquiétude.

Le visage de Nessy rayonnait, ses yeux pétillaient devant un tel spectacle ! Sans avertir, elle partit à la course pour s'approcher, provoquant l'envolée désordonnée des gracieuses créatures roses. Elle riait aux éclats. Esteban la regardait, amusé, mais restait immobile.

— Viens Esteban, cria-t-elle.

Elle s'éloignait sur la route, précédée des oiseaux apeurés par sa présence. Il commença à marcher vers elle, craignant qu'elle ne s'éloigne trop.

— Cours ! lui cria-t-elle en riant.

Esteban se mit à courir, commençant à prendre plaisir au jeu de la jeune fille.

Nessy, voyant qu'il la rattrapait, accélérera le pas jusqu'à ce qu'elle arrive à un tronçon de la route submergée, et ne voulant pas perdre au jeu, pénétra dans l'eau qui lui arrivait jusqu'à la taille. Esteban la rattrapa et l'empoigna doucement par le bras :

— Je te tiens !

Il riait. Nessy grimaça.

— Tu cours trop vite.

Ils traversèrent le tronçon à la course et sortirent de l'eau en riant, tout trempés.

— Ça fait du bien de rire de temps en temps, avoua Nessy.

— C'est vrai, surtout après une nuit pareille, répondit Esteban, mais son visage redevint sombre.

— Qu'y a-t-il, Esteban ?

— Je m'inquiète pour l'hydravion.

— Oh, tu crois qu'il est détruit ?

— J'espère bien que non. Allons voir, ne tardons pas !

Ils marchèrent une bonne demi-heure. À mesure qu'ils approchaient de l'hydravion, ils s'éloignaient de la zone du parc affectée par la tornade. Lorsqu'ils arrivèrent, l'hydravion était intact, là où Esteban l'avait arrimé plus d'un mois auparavant.

— Dieu merci ! s'exclama Esteban, soulagé.

Nessy, elle, regardait l'appareil, sceptique. Esteban la rassura en lui disant qu'elle adorerait voler et que la vue serait superbe.

Quelques instants plus tard, ils survolaient l'océan qui s'étendait à perte de vue. Nessy resta les yeux fixés sur le paysage durant tout le trajet. Ils arrivèrent à l'Île de Marajó après quelques heures de vol paisible. Esteban était bien heureux d'enfin marcher sur le sol sud-américain. L'armée nord-américaine ne les surprendrait pas ici.

Mais au Brésil, ils restaient quand même des hors-la-loi.

Au bord de l'île, Esteban retrouva son contact, prit des nouvelles des rebelles de la région, se munit de provisions et acheta les billets de bateau-vapeur pour Manaus. Nessy restait silencieuse près de lui. Son contact les invita à manger mais Esteban refusa, prétextant le manque de temps. Il voulait éviter d'avoir à répondre à des questions sur Nessy. Ils achetèrent des sandwichs chauds et mangèrent à bord du bateau qui partait pour Manaus. Nessy savourait avec appétit ce repas différent de ce qu'elle connaissait comme nourriture.

— Le voyage dure cinq jours, l'informa Esteban après avoir mangé. Nous allons dormir dans des hamacs. Je veux que tu restes toujours près de moi, tu m'entends ?

— Oui, je n'ai pas l'intention de m'éloigner de toi, répondit-elle avec un sourire.

— J'insiste, Nessy, car on ne sait jamais, quelqu'un pourrait t'enlever.

Nessy le regarda intriguée, ne comprenant pas nécessairement ce que lui expliquait son compagnon.

Ils restèrent sur le pont inférieur du bateau à deux étages pour admirer le grand fleuve qui se déployait à l'infini devant eux. Discrètement, Esteban faisait un balayage visuel pour se familiariser avec les autres passagers qui partageraient, pour les cinq prochains jours, le bateau, question de se tenir alerte et d'avoir une opinion sur chacun d'eux. Il y avait des couples en voyage, des marchands en transit, des travailleurs, quelques rebelles de différents camps et des touristes d'ailleurs.

Esteban était devenu expert pour reconnaître à quel type appartenaient les gens qu'il croisait en voyage. C'était un don indispensable pour survivre dans le monde où il vivait comme durant ses missions. Il fut satisfait de l'équipage du bateau qu'il avait choisi, car personne n'avait l'air louche, mails il restait alerte malgré tout.

Il continua à faire de la méditation et à surveiller Nessy, la nuit venue.

— CHAPITRE IX —

Le soleil s'infiltrait dans la chambre d'hôtel d'Édouard, qui avait mal dormi, retournant cent fois dans sa tête ce qu'il devait faire pour arriver à retrouver Nessy rapidement. Julia ne tiendrait pas le coup longtemps. Il se leva et se prépara en vitesse, puis passa quelques coups de téléphone. Il réussit à joindre un collègue qui avait travaillé au catalogage des gènes et qui s'était occupé, dans le temps, de plusieurs organismes humanitaires de la région. Ils se donnèrent rendez-vous au restaurant de l'hôtel, une heure plus tard.

Édouard l'attendit impatiemment, incertain de la façon dont il allait aborder le sujet de la zone hors brevet. Monsieur Cabral arriva à l'heure et fut dirigé à la table d'Édouard par l'hôtesse du restaurant. Names se leva pour le saluer. Contrairement à lui, l'homme semblait ne pas avoir vieilli d'un jour.

— Bonjour, monsieur Cabral.

— Bonjour ! Quelle agréable surprise de vous voir après tant d'années, monsieur Names. Je veux dire, monsieur le Ministre.

— Juste Édouard, ça va suffire, mon cher collègue.

Ils s'assirent et échangèrent quelques mots sur leur vie, puis Édouard alla directement au but.

— Je ne resterai pas longtemps à Manaus, car ma fille est mourante au pays. Mais je suis venu pour une raison précise, et j'ai pensé que vous pourriez m'aider grâce à vos sources.

— Dites-moi ?

— J'aimerais entrer en contact avec..., Édouard baissa le ton et balaya le restaurant du regard avant de prononcer la suite, ... des rebelles.

Cabral se raidit sur sa chaise et écarquilla les yeux d'étonnement.

— Pardon ? chuchota-t-il sur un ton inquiet.

— J'ai démissionné de mon poste de ministre au début de la semaine. Je veux juste avoir la possibilité d'entrer en contact avec un rebelle de la zone hors brevet non loin d'ici, et je sais que vous en connaissez quelques-uns. Je ne leur veux aucun mal, mais c'est pour moi une question de vie ou de mort, celle de ma fille. La voix d'Édouard s'était teintée de chagrin.

Monsieur Cabral écoutait attentivement Édouard, scrutant son regard pour essayer de déceler ses vraies intentions. Édouard poursuivit de sa voix enrouée :

— J'ai entendu parler de rebelles, habitant dans cette zone, qui possèdent des remèdes miraculeux qui pourraient sauver ma fille. Je veux simplement repartir chez moi avec une de ces préparations, si elles existent, et je paierai un excellent prix.

Son interlocuteur se détendit un peu en voyant la nature de sa demande.

— Ce n'est pas simple comme demande, mon cher Édouard.

— J'en suis à essayer n'importe quoi. Je ne sais même pas si j'y crois. Je veux juste sauver ma fille.

— Je ne connais aucun rebelle de la zone, mais je peux faire part de votre demande à un rebelle d'ici. Il pourra vous contacter et vous aider.

— J'apprécierais grandement. Est-ce que cela peut se faire rapidement ? Car le temps presse.

— Oui, mais je ne peux pas vous garantir que mes contacts accepteront de vous aider.

Ils mangèrent et discutèrent encore. Puis Cabral quitta le restaurant. Édouard resta assis, songeur, le cœur fébrile, ignorant si cette rencontre allait porter fruit.

Plus tard dans l'après-midi, Cabral rencontra un rebelle de Manaus qui lui déclara qu'il relaierait cette demande à son chef, mais qu'il ne promettait rien.

Édouard était sorti marcher dans les rues de cette ville qu'il avait habitée par le passé, lorsque son travail l'y avait amené. C'était aussi ici qu'il avait connu Mathilde, de qui il s'était épris et qu'il avait commencé à fréquenter. Il marchait d'un pas lourd, nostalgique. La ville avait beaucoup changé. La population s'étant réduite au tiers de ce qu'elle était jadis, les rues n'étaient plus aussi achalandées. Seul avantage de la dépopulation, la contamination de l'air était loin d'être ce qu'elle était auparavant, ou même celle de son pays à lui. Comme quoi être situé dans les poumons verts de la planète donnait quand même un sursis à ces pauvres gens.

En rentrant à l'hôtel, on lui remit un message à la réception. Édouard le lut, le cœur serré :

« Réservez une table pour le repas du soir à 18 h.
M. Cabral. »

Il fit la réservation, puis se retira dans sa chambre pour se laver et se préparer.

De nouveau assis au restaurant de l'hôtel, Names attendait impatiemment l'arrivée de son ami pour connaître la réponse des rebelles.

Ce n'est pourtant pas Cabral, mais Martin Ortiz qui demanda la table de monsieur Names, vers laquelle l'hôtesse le dirigea.

Édouard se crispa en voyant s'approcher l'homme : mi-quarantaine, yeux noirs, cheveux noirs et bonne posture.

— Bonjour monsieur Names, fit Martin en prenant place.

Édouard resta calme et ne répondit que d'un geste de la tête.

— Je m'appelle Martin Ortiz et on m'a fait part de votre demande cet après-midi.

Édouard se détendit un peu. Ce nom lui disait quelque chose. Il écouta la suite.

— Un de mes hommes m'a informé qu'un ami à lui avait relayé une demande bien spéciale, mais quand il m'a mentionné votre nom, je n'ai pu résister à vous rencontrer moi-même.

Édouard réalisa soudainement qui était Martin Ortiz. Il fut surpris que le chef des rebelles en personne se déplace pour répondre à sa demande.

Un serveur vint prendre leur commande, puis Martin reprit :

— Le cher Édouard Names, ministre de la Santé...

Édouard l'interrompit pour rectifier qu'il n'était plus ministre et que son gouvernement ne savait même pas qu'il se trouvait ici.

— Si ma demande vous a été transmise correctement, vous savez donc que je suis ici uniquement pour des raisons personnelles.

— Oui, j'ai cru comprendre. Alors, Julia est vraiment malade ? questionna Martin avec un sourire mesquin.

Édouard fut déconcerté par la question. Connaissait-il sa fille ou avait-il appris son nom par Cabral ? Il resta muet et son cerveau tenta de calmer les innombrables questions que le doute fit ressurgir.

Le serveur interrompit le fil continu, mais embrouillé, de ses pensées pour leur servir le repas. Martin prit quelques bouchées, puis reprit :

— C'est vraiment spécial de vous rencontrer.

Édouard lui demanda, sans toucher à son assiette :

— Vous connaissez ma fille ?

— Pas personnellement !

Édouard eut un soupir de soulagement. Le temps d'un éclair, il avait cru se trouver en face du père de Nessy. Ce fut à son tour d'étonner son vis-à-vis.

— Puisque vous êtes venu en personne me rencontrer, je vais vous expliquer plus clairement ma demande. Je veux retrouver ma petite-fille, que je soupçonne être dans la zone hors brevet.

— Une petite-fille, vous ? s'esclaffa Martin. Je croyais que vous vouliez soigner votre fille.

— Aussi. Pouvez-vous m'aider à la récupérer ? En disant ces mots, Édouard sortit une photo de Nessy, alors qu'elle avait sept ans.

Martin resta figé, bouche ouverte, devant l'image de la jeune fille. Devant sa réaction, Édouard, comprit qu'Ortiz avait déjà vu Nessy, et qu'en conséquence, elle était déjà dans les parages.

Il décida de rendre sa demande plus alléchante.

— Je suis prêt à payer un bon prix !

Martin prit la photo, et sans en détacher les yeux, eut un rire nerveux.

— Qu'est-ce qui vous fait rire ?

— L'ironie.

— Quelle ironie ?

Martin se reprit, et tentant de contrôler le sentiment incongru que lui inspirait l'image de la jeune fille répondit :

— Celle que vous soyez ici, en ce moment, en train de me montrer cette photo, à moi.

Édouard, déboussolé, ne put se retenir et lui demanda :

— Êtes-vous son père ?

Martin éclata d'un rire tonitruant. Édouard ne savait que penser.

— Si je l'étais, mes mains seraient probablement déjà autour de votre cou, l'enserrant sans pitié jusqu'à ce que mort s'ensuive. Car cet homme doit vous haïr plus que tout au monde.

— Vous savez donc qui il est ? Vous le connaissez ?

— Peu importe, répondit Martin, encore amusé par la situation. Je doute que je puisse vous aider à retrouver votre petite-fille ou même à vous procurer des remèdes pour Julia.

Il s'apprêtait à se lever, sans même terminer son repas.

Édouard sentit le désespoir l'envahir en voyant que Martin s'apprêtait à clore leur rencontre.

— Tout homme a un prix, lança-t-il pour le retenir. Puis, frappé d'un souvenir, il enchaîna : Martin Ortiz... On vous surnomme *le Guerrier*, n'est-ce pas ?

Son cerveau était vif, il savait qu'il devait tenter le tout pour le tout. Il était si près de retrouver Nessy et sauver Julia que le prix lui importait peu, en ce moment.

— Oui et alors ?

— Un guerrier rebelle par les temps qui courent, doit avoir un grand besoin d'armes. D'armes puissantes de dernier cri, non ?

Une lueur s'alluma dans les yeux noirs de Martin. Édouard avait visé juste, et trouvé le prix exact de cet homme.

— Votre discours m'interpelle pleinement, monsieur Names.

— Vous m'en voyez ravi, mon cher ami.

— Malheureusement, le temps est un peu trop juste pour moi.

— Que voulez-vous dire ?

— Des rebelles se préparent partout, car d'ici quelques semaines il y aura une rencontre importante ici à Manaus. Nous aurons besoin d'armes avant cela... mais je ne peux vous promettre votre petite-fille d'ici là.

— Pourquoi ?

— C'est ainsi. Je peux juste vous dire que cette rencontre risque de coïncider avec l'invasion de la zone hors brevet par une puissante milice. Et si ça se produit, je ne pourrai rien faire pour récupérer la fille. C'est à vous de choisir.

Édouard se trouva coincé. Il devrait s'entendre avec cet homme, lui fournir des armes à l'avance, ou risquer de perdre Nessy pour toujours.

— Si je vous fournis des armes, je pourrai obtenir les remèdes de ma fille ?

— À la tonne, si ça vous le dit, répondit Martin en souriant amicalement.

Ils terminèrent leur repas et s'entendirent sur les termes de leur échange.

— Chapitre X —

Le voyage vers Manaus se passait sans anicroche. Nessy était ensorcelée par la beauté du paysage de la forêt amazonienne et éblouie par la quantité d'animaux qui l'habitaient. Comme il y avait des touristes à bord et qu'un guide leur donnait des explications, elle put apprendre sur le grand fleuve et l'enfer vert.

Le problème survint en approchant de Manaus, lorsque Nessy fut prise d'une autre attaque de douleur. Bien qu'amoindrie par les dernières maladies, la population de la ville restait considérable et le pourcentage de malades n'était pas négligeable.

Nessy fut prise d'un vertige. Esteban l'escorta vers un recoin du bateau pour échapper aux regards des curieux et tenta de la réconforter par ses paroles, en lui tenant les mains.

— Écoute-moi, Nessy. Je sais que c'est douloureux pour toi, mais nous ne resterons pas longtemps ici. Nous devons toutefois passer par Manaus. Est-ce que tu peux essayer de combattre la douleur ?

Nessy se sentait étourdie. Des larmes sillonnaient ses joues.

— Regarde-moi ! l'implora son ami.

Elle parvint à fixer ses yeux perlés de larmes dans le tendre regard d'Esteban.

— Tu dois essayer de combattre la douleur par ta volonté, lui dit-il d'une voix douce et posée. C'est comme quand je combats la fatigue par la méditation, tu comprends ?

— Je crois.

— Pense à un objet qui te détend et laisse-le envahir ton esprit.

Nessy ferma les yeux et n'eut même pas besoin de penser à quelque chose. L'image de Mistral lui apparut et elle sentit le souffle de son museau lui caresser le cou. Elle se détendit.

Esteban remarqua son relâchement :

— Bien, continue, respire profondément.

La douleur se dissipa et elle put rouvrir les yeux. Calme et confiante, elle lui dit qu'elle se sentait mieux. Esteban la félicita et lui expliqua que Pablo pourrait probablement lui apprendre la méditation pour canaliser les effets désagréables de son don. Le bateau, arrivé à Manaus, s'immobilisait à un quai du port.

Descendus, Esteban et Nessy ne perdirent pas une minute pour chercher un petit bateau à moteur qui les mènerait à la Terre sans mal. Plusieurs conducteurs, au quai, offrirent leurs services, mais Esteban cherchait quelqu'un en particulier : un rebelle du nom de Pedro. Il faisait partie du camp de Martin et avait l'habitude de transporter des gens au camp de Pablo. Ils le trouvèrent à l'endroit habituel. Pedro parut content de voir Esteban et regarda Nessy, intrigué, un peu du coin de l'œil. Esteban n'en fut pas surpris, il s'attendait à avoir des réactions particulières des gens d'ici qui la verraient, notamment à cause de sa ressemblance indéniable avec Pablo. Le rebelle accepta de les emmener immédiatement. Le voyage devait durer un jour.

Après une heure de navigation, le moteur s'arrêta étrangement. Le bateau s'immobilisa tranquillement. Dans la jungle, les bruits de singes crieurs retentissaient du ciel.

— Que se passe-t-il, Pedro ? demanda Esteban, inquiet.

— Les pales du moteur sont coincées, répondit le rebelle, et d'un ton autoritaire, il ordonna au jeune homme de sauter dans l'eau pour dégager les algues qui devaient s'y être enroulées.

Esteban savait que les hommes de Martin ne possédaient pas beaucoup de tact pour communiquer, aussi s'apprêta-t-il à exécuter l'ordre. Nessy s'approcha de lui et murmura :

— Ne saute pas, Esteban. Je n'aime pas l'idée.

— Ne t'en fais pas, Nessy, je ne resterai pas plus de deux minutes dans l'eau ; la baignade n'est pas recommandée dans les parages.

Nessy lui prit le bras gauche pour lui faire sentir son inquiétude. Il lui sourit. Il prit discrètement la corde d'amarrage et sauta dans l'eau. Il se glissa vers le moteur pour dégager les pales de l'hélice. Pedro observait la manœuvre d'un œil sournois. Aussitôt qu'il vit Esteban rejoindre les pales, il redémarra le moteur. Nessy hurla :

— Arrêtez, arrêtez !

Trop tard ! Les pales de l'hélice avaient fendu la chair de l'avant-bras d'Esteban jusqu'à l'os !

Elle se jeta vers l'arrière du bateau pour obliger l'homme à arrêter l'embarcation, mais celui-ci la repoussa brusquement d'une main, maniant le moteur de l'autre. Tombée par terre au fond de la chaloupe, elle cherchait désespérément Esteban des yeux.

— Esteban ! criait-elle hystériquement.

— Tais-toi, lui lança l'homme.

Elle le foudroya de ses yeux émeraude teintés de gris par la colère. L'homme en fut troublé. Elle possédait dans son regard cette assurance déroutante qu'il connaissait de Pablo, et qui imposait le respect et l'admiration. Nessy profita de son trouble pour lui sauter au cou et le rouer de coups. Elle n'avait jamais frappé personne. Elle le bombardait pourtant de ses mains et de ses pieds sans répit, si bien qu'il dut lâcher le moteur, qui s'arrêta enfin.

Le bateau ballottait de gauche à droite. Pedro, recouvrant l'usage de ses deux mains, empoigna la jeune fille et la souleva violemment du plancher. Nessy se débattait tandis que derrière eux, Esteban, qui était resté accroché à la corde malgré la douleur, se hissait à bord. Le temps que Pedro réagisse, Esteban s'était rué sur lui et lui avait planté son poignard au milieu du dos. Pedro s'effondra et bascula par-dessus bord. Nessy hurla de plus belle. Esteban saignait abondamment ; il paraissait en transe.

Il avait tué Pedro !

Esteban repoussa le corps par-dessus bord, sans réfléchir, et tomba assis, figé, retenant son bras meurtri. Nessy se tut. Elle commençait à sentir la douleur de la blessure d'Esteban. Tombant à genoux près de lui, elle respirait par à-coups, anéantie devant le drame.

— Oh, Esteban, tu saignes beaucoup, constata-t-elle.

Esteban ne réagissait pas. Il avait bien lancé un jour à Nessy qu'il tuerait quiconque lui voudrait du tort, mais il n'avait jamais tué un homme auparavant.

Le sang continuait de s'épancher de sa blessure.

Sans hésiter, Nessy passa son doigt sur la plaie du jeune homme qui, sentant une chaleur lui traverser le bras, sortit de son hébétude. Voyant sa plaie se refermer magiquement, il empoigna, affolé, le poignet de Nessy.

— Qu'est-ce que tu fais ?

— Je soigne ta blessure, répondit Nessy, étonnée.

— Qu'est-ce que c'est que ces histoires ? s'écria Esteban en se levant brusquement.

Nessy était déconcertée par son attitude.

— Tu ne veux pas que je guérisse ta plaie ? dit-elle avec des yeux tristes et interrogateurs.

Esteban voyait que son attitude vexait la jeune fille. Il se remit de sa peur et ajouta :

— Excuse-moi, je ne voulais pas t'offusquer. Mais ce que tu fais avec ton doigt, c'est étrange.

— Comment ? Ne m'as-tu pas dit que mon père guérissait ?

— Oui ! Avec des plantes et des onguents qui prennent du temps et laissent des cicatrices, pas avec ses doigts et sans laisser de marques ! répondit-il en regardant sa plaie à moitié refermée.

Nessy se leva et continua de guérir sa plaie jusqu'au bout. En moins de quelques secondes, la douleur disparut et la cicatrice devint à peine perceptible. Esteban était ébahi devant cet exploit.

— Tu es encore plus spéciale que je ne le pensais, Nessy. Les militaires cherchent un gène comme celui de ton père, mais le tien semble avoir évolué des millions d'années. En fait, il ressemble à ce que les spécialistes tentent d'inventer depuis de nombreuses années, par recherche et par manipulations génétiques.

— Tu crois que c'est pour cela que cet homme a tenté de te tuer ?

Le visage d'Esteban s'assombrit à nouveau.

— Pedro ! dit-il d'une voix désespérée. Je ne comprends pas, c'était un homme du camp de Martin ! (Se tournant vers Nessy.) Martin est le frère de ton père. Il sait l'attachement que ton père a pour moi, il n'irait jamais donner un tel ordre. Et Pedro était assez proche de Martin pour ne pas prendre une initiative aussi... risquée. Je suis vraiment confus. Que se passe-t-il ? Que dira Pablo ?

Esteban réfléchissait tout haut. Nessy l'écoutait, silencieuse.

— Il faut se dépêcher, Nessy. Plus vite nous serons rendus à la Terre sans mal, plus vite nos ennuis seront terminés.

— D'accord.

— Nous allons naviguer jusqu'à ce que tombe la nuit et nous camperons sur la rive lorsque la noirceur sera trop marquée, expliqua-t-il en redémarrant le moteur.

Devant son air abattu, Nessy ne put s'empêcher de lui dire :

— Tu t'es simplement défendu, Esteban. Je le dirai à mon père, si tu veux. Ce n'est pas ta faute, il a tenté de te tuer !

— Je sais, Nessy, n'en parlons plus, répondit sèchement Esteban.

Ils restèrent silencieux jusqu'à la tombée de la nuit.

Nessy contemplait la selva avec ses arbres énormes et ses lianes semblant descendre du ciel lorsque Esteban arrêta le bateau sur la rive du fleuve, l'attachant à un arbre.

— Viens, on va trouver un endroit pour dormir.

Ils montèrent un camp et mangèrent un peu de pain qui leur restait. Esteban proposa ensuite à Nessy de dormir, tandis que lui s'installait pour sa méditation. La jeune fille ne discuta pas, mais elle n'arrivait pas à trouver le sommeil après tant d'aventure. Elle écoutait les respirations d'Esteban et remarqua qu'il ne réussissait pas à les rythmer. Il soupirait de frustration et semblait être à bout. Nessy se leva, vint le rejoindre et s'assit près de lui, en tailleur.

— Ça ne va pas, Esteban. Je le sens. Tu t'en veux.

Il la regarda, les yeux au bord des larmes, mais les retenant tout de même avec une volonté obstinée.

— Je ne voulais pas tuer cet homme, mais quand je l'ai vu te tenant prisonnière de ses deux bras puissants, j'ai senti une rage insoutenable.

— Tu m'avais dit que tu me protégerais, tu as tenu ta promesse.

— Je voue ma vie et ma confiance à ton père, et j'ai toujours accompli ses missions, mais je n'ai jamais eu à tuer pour lui. Cette dévotion que je sens envers toi est plus forte encore que celle que je porte à ton père, à qui pourtant je dois la vie.

Nessy se sentit rougir. Pour la première fois, elle éprouva à son tour ce sentiment gênant qui semblait envahir le jeune homme à son sujet. Leur périple à travers le continent semblait la projeter hors du monde de l'enfance, à une vitesse exponentielle.

— Je veux juste que tu saches que moi je ne t'en veux pas, conclut-elle en se levant et en l'embrassant amicalement sur la joue.

Esteban ferma les yeux et soupira profondément. Nessy retourna se coucher, l'esprit troublé. Esteban regardait la cicatrice presque disparue sur son bras, et il fut pris d'un haut-le-cœur en revoyant le corps de Pedro tombant, les yeux éteints. Il vit sa main souillée d'un autre sang que le sien. Cette fois, c'en fut trop, il se mit à vomir jusqu'à ce qu'il réussisse lentement à contrôler son dégoût. Nessy l'écouta sans bouger ; elle sentait bien que le jeune homme combattait des remords atroces. Leurs liens s'étaient fortifiés tout au long de leur aventure ; elle pouvait ressentir ce qu'il sentait.

C'était d'ailleurs ce qui l'avait fait rougir.

Mais pour l'instant, elle sentait aussi qu'Esteban voulait combattre ce démon seul.

Elle s'endormit finalement quand elle vit qu'il se calmait.

— Chapitre XI —

Pablo fut réveillé par les hennissements de Mistral. Déjà qu'il avait eu une nuit mouvementée, le réveil l'était tout autant. Il sentit tout de suite que quelqu'un rôdait autour de la maison. Il prit son revolver qu'il cala derrière son dos, dans son pantalon. Il sortit et une voix d'homme l'interpella :

— Pas très surveillée comme demeure de chef, Pablo.

C'était Rico, un homme de Martin. Pablo lui sourit et répondit :

— Tu as l'intention de me tuer ?

— J'aurais pu.

— Que me veut mon frère maintenant ?

— Un service.

— Tiens donc ! Et lequel ?

— Des remèdes.

— Entre. Je t'offre un thé ?

— Oui, merci !

Pablo rangea son revolver et mit de l'eau à bouillir. Il proposa à Rico de s'asseoir par terre sur des paillasses réservées à cette fin. Il vint le rejoindre avec les cosses de maté remplies du thé chaud, et piquées d'une paille métallique.

— C'est quoi cette histoire de remède ? demanda-t-il en sirotant son thé.

— Un ami du Nord est venu visiter Martin, il avait entendu parler de tes exploits médicinaux.

— Et Martin ne lui a pas dit que c'étaient des balivernes ? Lui qui ne croit pas en mes capacités curatives.

— Son ami a su se montrer très persuasif...

— De l'argent ? Pour mes services ? C'est honteux.

— Dis-toi que tu pourras sauver la fille de cet ami qui lui est si chère.

— De quoi souffre-t-elle ? Je ne peux pas lui donner n'importe quoi.

— Elle a une tuberbulose pharmacorésistante.

— Pourquoi ne l'a-t-il pas emmenée ? Je ne guéris pas à distance.

— Elle est en très piètre état.

— Je ne suis pas certain d'y pouvoir quelque chose, dans ce cas-là.

— Il veut juste quelque chose pour acheter du temps.

— Du temps pour quoi ?

— Pour la sauver.

— Mais personne ne guérit d'une telle maladie à un stade trop avancé. Cet homme est cinglé de vouloir la garder en vie, s'écria-t-il, outré.

— Je ne suis que le messager ! Peux-tu fournir quelque chose ? Ton frère t'en implore.

— Je vais essayer, maugréa Pablo.

Le jour s'était tranquillement levé pendant leur conversation. Ils décidèrent de marcher pour se rendre au village, la maison de Pablo étant située en périphérie.

Rico semblait constamment chercher quelque chose du regard. Pablo, trouvant son attitude intrigante, lui demanda ce qu'il cherchait. Sans répondre à la question, Rico demanda tout simplement :

— Rien de neuf dans les parages, ces derniers jours ?

— Non, pourquoi ?

— C'est Martin qui voulait savoir.

— Rien n'a changé ici depuis son passage, la semaine dernière.

— Ah bon !

Pablo restait intrigué.

— Et par chez vous ?

— Beaucoup de mouvement. Ça se prépare vraiment. D'ailleurs, Martin m'a dit de te prévenir que des dirigeants de plusieurs pays se préparent à attaquer.

— Ça fait trois ans qu'il me prévient de cela.

— Maintenant, c'est sérieux !

— Je serai alerte, merci !

Ils pénétrèrent dans l'hôpital, où Pablo mit quelques heures à préparer diverses infusions.

Il en fit un colis qu'il remit à Rico, qui le remercia et prit le chemin du retour.

Pablo n'étant pas de nature curieuse, il avait remis ces remèdes sans savoir qu'ils avaient été payés en armes, par l'homme qu'il détestait le plus au monde, et qu'ils serviraient à aider la seule et unique femme qu'il eut jamais aimée.

Pendant ce temps, ce même matin, Jorge, Raoul et Luis étaient repartis à l'aube pour parcourir le plus de kilomètres possible durant les heures ensoleillées. Ils remontèrent donc en quelques jours jusqu'au grand fleuve, se rapprochant de la zone hors brevet. Luis semblait enfiler les kilomètres avec une déconcertante endurance, tandis que les deux autres jeunes hommes étaient épuisés par toutes ces heures de conduite, et n'aspiraient qu'à une seule chose : arriver au camp, pour que leur mission soit remplie.

C'est ainsi qu'ils arrivèrent, neuf jours après le début de leur mission, à la Terre sans mal. Pablo les reçut chez lui. Il salua chaudement Luis, en se présentant et en lui souhaitant la bienvenue. Luis le remercia de lui avoir sauvé la vie, mais devant l'humble maison de Pablo, il douta de se trouver devant le chef d'une grande armée de rebelles.

Pablo remarqua la physionomie particulière du garçon et le questionna. Luis lui raconta brièvement son histoire.

— Comment as-tu réussi à t'enfuir ? demanda Pablo, curieux.

— Je suis fort, résuma Luis.

— Oui, ça se voit ! Je crois même que c'est pour cette particularité que j'ai été appelé à te venir en aide.

Luis hocha la tête en guise de reconnaissance, et comme il n'avait toujours pas eu de réponses à ses propres questions :

— Comment avez-vous su où me trouver ? Je vous dois la vie pour cela.

— En fait, c'est un petit papillon orange et noir qui me l'a dit. C'est à lui que tu dois la vie, lui répondit Pablo en souriant amicalement.

Luis était perplexe. Il l'avait vu, ce papillon. Il s'était posé sur lui, venant atténuer sa douleur, et après, plus rien. Il se souvenait fort bien de ces dernières images.

Pablo lui donna quelques feuilles à infuser afin d'éliminer complètement le poison qui aurait pu rester dans ses reins, puis il demanda à Raoul et Jorge de trouver un toit pour Luis, tout en les remerciant de leur aide précieuse.

Entre-temps, non loin de là, Esteban et Nessy approchaient de leur but. Leur périple avait duré deux jours de plus que prévu, car au réveil, deux jours plus tôt, leur bateau avait disparu. Ils avaient dû parcourir à pied le reste de la distance qui les séparait de la Terre sans mal, dans la jungle sauvage de la forêt amazonienne.

Muni d'une hachette, Esteban tentait de frayer un chemin. Ils n'avaient qu'à longer le fleuve pour se rendre à la Terre sans mal, mais ils avançaient péniblement. Esteban était très silencieux depuis l'incident du bateau. Nessy éprouvait une peine immense de le voir ainsi.

Quant à elle, elle pensait constamment à Mistral et à Christian, qui l'inquiétait beaucoup. Complètement absorbée dans ses pensées, elle suivait Esteban lorsqu'il s'immobilisa soudain. La hachette tomba. Intriguée, Nessy fit un pas vers lui, mais il lui intima le silence. Voyant qu'il tremblait, elle se hissa sur la pointe des pieds et aperçut, par-dessus l'épaule de son compagnon, un nid de gigantesques serpents ! Le plus gros d'entre eux se tenait en position d'attaque, fixant Esteban de ses yeux jaunâtres et exhibant ses énormes crocs pointus.

— *Shushube*... murmura Esteban. Il paraissait ensorcelé par le regard de la bête.

Esteban sentit le souffle de la jeune fille dans son dos, ce qui rompit l'envoûtement. Il se pencha pour récupérer son outil, mais voyant le reptile bouger, il l'échappa de nouveau. La bête prit le mouvement comme une attaque, lui sauta au cou et le mordit. Esteban s'écroula. Nessy saisit la hachette, dans un mouvement instinctif, et fendit la bête en deux. Les autres bêtes se dipersèrent dans les feuillages.

Esteban, étendu par terre, avait porté la main à son cou.

— Esteban... Ça va ? lui demanda Nessy, inquiète.

— Non, il m'a mordu. C'est un serpent venimeux.

— C'est grave ?

— Très grave, je tolère très mal le venin du *shushube*. J'ai déjà été mordu quand j'avais quatre ans.

— Mais tu n'en es pas mort.

— Non, c'est ton père qui m'a sauvé. C'est ainsi que j'ai connu Pablo. Il avait préparé un onguent et l'avait appliqué sur la blessure. Aïe ! s'écria-t-il soudain.

Nessy perçut très bien sa douleur.

— Je ne tiendrai pas longtemps, Nessy, poursuivit Esteban. Le venin ne tardera pas à affecter mes nerfs, surtout avec une morsure si profonde et si près du cerveau. Tu dois te rendre à la Terre sans mal, il ne reste que quelques heures de marche.

Il tremblait et suait de partout. Nessy le regarda tendrement :

— Tais-toi Esteban !

Elle s'agenouilla près de lui, posa son index sur la morsure, puis souffla. Esteban sentit la chaleur du venin rebrousser chemin et le liquide s'écouler à l'extérieur de sa veine, sur la peau le long de son cou. La douleur se dissipait.

Il regarda Nessy dans les yeux, et dans un susurrement presque inaudible, lui dit :

— Je suis endetté envers toi jusqu'à la mort !

Puis, il ferma les yeux, épuisé, et s'assoupit.

Nessy le regardait avec tendresse, lui caressant les cheveux. Il était évident que les dernières méditations du jeune homme n'avaient pas été efficaces. La fatigue s'était accumulée, et les nerfs d'Esteban avaient flanché à la rencontre de la bête qui l'avait traumatisé dans son enfance.

Nessy veilla sur lui, immobile, jusqu'à ce que le jour commence à décliner. Elle le secoua doucement avant que le crépuscule ne s'installe autour d'eux, et Esteban se réveilla en sursaut, l'air perdu, incertain.

— Ça va mieux ? lui demanda Nessy.

— J'ai beaucoup dormi ?

— Tu étais fatigué.

Il se passa la main sur le cou, doutant encore de ce qui s'était passé. Avait-il rêvé ? Il sentit les deux petits trous de la morsure du serpent. Gêné, il remercia Nessy, qui hocha la tête et ne fit aucune allusion à ses dernières paroles.

— Nous passerons la nuit ici. Demain matin, nous partirons tôt pour être chez Pablo en fin de matinée. D'accord ?

— Oui, Esteban.

Nessy n'eut aucune difficulté à s'endormir après tant d'heures de marche et tant de stress. Esteban tenta tant bien que mal de méditer. Une chose obsédait ses pensées... Il réalisait que Nessy était bien plus que la fille de Pablo. Elle avait un don incroyable, certes, mais elle possédait une énergie qui ferait peur à tous ses opposants.

— Chapitre XII —

Esteban réveilla doucement Nessy, peu avant l'aube. Elle était radieuse, reposée. Elle avait rêvé de Mistral toute la nuit. Elle se sentait prête à rencontrer pour la première fois son père.

À quelques heures de là, Pablo aussi avait rêvé. Le *vanessa cardui* l'avait accompagné dans ses rêves, il sentait que l'entité papillon s'approchait. Il l'attendait impatiemment, car pour ses ancêtres et lui, ce papillon était le symbole du commencement de la fin, le *pachakuti*. Il était curieux de voir la personne qui l'incarnait. Il se rendit tout de suite à l'hôpital après avoir mangé. Au village, il croisa Luis qui se précipita vers lui en l'apercevant.

— Bonjour, monsieur Ortiz.

— Appelle-moi Pablo, Luis.

— Je veux aider, Pablo. Je dois faire quelque chose de mes deux mains. Dieu ne m'a pas donné cette force pour rien.

— Non, ne t'inquiète pas. Il ne te l'a pas donnée pour rien. Qu'aimerais-tu faire ?

— J'ai entendu dire que les tensions montent autour du camp et qu'on voudrait l'attaquer.

— Il paraît !

— Je veux aider à défendre le territoire.

— D'accord, va retrouver Raoul et Jorge, ils te diront quoi faire. Mais je veux aussi que tu commences l'école.

— Merci Pablo, répondit Luis, heureux, et il partit à la course rejoindre les deux hommes.

Il les trouva discutant ensemble chez Jorge, affairés devant d'étranges plans. Luis expliqua que Pablo lui avait permis d'aider. Ils en parurent ravis, car le travail qu'ils devraient faire était physique.

— Alors, que puis-je faire ? demanda Luis, pour qui l'effort physique était une nécessité.

— Nous devons sécuriser notre section du camp, répondit Jorge.

— La zone hors brevet est délimitée par un triangle, expliqua Raoul. Ici, nous sommes à la pointe nord-est du triangle. Chaque pointe doit être sécurisée, ajouta-t-il.

— Et que sont ces plans ?

— Ce sont des structures que nous devons monter pour arrêter l'ennemi, répondit Raoul.

— C'est là que ton aide sera fort appréciée, car plus grandes nous les ferons, plus meurtrières elles seront, ajouta Jorge.

Luis regarda les plans de pièges. C'étaient des sortes de structures ancestrales formées de gros billots de bois parsemés de pics pointus, utilisées par les peuples guerriers pendant des milliers d'années.

— Et c'est efficace ?

— C'est tout ce qu'on a ! avoua Raoul.

— Et l'ennemi ?

— Il est plus nombreux, mieux équipé et mieux préparé. C'est pour ça que nous devons l'affaiblir, en nombre et en force, avant qu'il ne pénètre dans les villages de la Terre sans mal, expliqua Jorge.

À quelques pâtés de maison de là, Nessy et Esteban arrivaient au village. Ils avaient marché pendant plusieurs heures. Les gens saluaient amicalement Esteban, qui les saluait en retour. La plupart regardaient curieusement la jeune fille qui l'accompagnait, mais les deux voyageurs ne s'attardèrent pas en chemin pour ne pas trop créer de questionnement. Le petit Pedro, qui devait avoir à peine six ans, courut dans les bras d'Esteban pour le saluer.

— Esteban, Esteban ! cria-t-il, fou de joie.

— Salut Pedrito ! lui répondit Esteban en l'attrapant dans ses bras.

Le petit garçon s'était attaché au jeune homme depuis qu'il était tout petit. Il ne regarda même pas Nessy.

— Dis-moi Pedro, où est Pablo ?

— À l'hôpital, Esteban. Tu veux que j'aille le prévenir ?

— Oui, s'il te plaît. Dis-lui que je suis de retour.

Le garçon partit à la course, entra en trombe dans l'hôpital, puis dans le bureau de Pablo, faisant sursauter ce dernier.

— Pablo, Pablo ! C'est Esteban ! Il est sur la *plaza* centrale, s'écria-t-il en ressortant aussi vite qu'il était entré.

Pablo, décontenancé, regarda son patient, puis le tourbillon qui était entré et ressorti aussitôt. Il n'avait même pas eu le temps d'analyser l'information que l'enfant lui avait apportée. Le patient prit en le remerciant le paquet que Pablo lui tendait, inattentif.

Se remettant peu à peu de son étonnement, Pablo se murmura à lui-même : « Dieu soit loué ! » Il sortit de l'hôpital pour aller accueillir son protégé sur la *plaza*. Le cœur battant, il eut la conviction que sa mission avait porté fruit, car il ressentait cette plénitude qui l'emplissait chaque fois qu'il sentait la présence de l'entité papillon. L'estomac noué, il chercha Esteban des yeux en approchant de la *plaza*. Il l'aperçut enfin, en chair et en os ! Sa chemise était froissée, sa manche gauche déchiquetée, et son sourire immanquable éclairait son visage. Pablo leva les bras pour étreindre de toutes ses forces le jeune homme qui lui était si cher. Ce dernier fit alors un pas de côté, exposant la jeune fille qui se tenait derrière lui. Pablo resta figé, les bras en l'air. Les yeux de Nessy se perdirent dans les siens. Elle ne pouvait mouvoir un doigt. Esteban resta immobile, inquiet du choc que cette rencontre allait provoquer chez Pablo. Des larmes – énormes et innombrables – aveuglèrent complètement le chaman. Il tomba à genoux. Son cœur semblait s'être arrêté. Dans sa tête, les questions se bousculaient et explosaient, lui infligeant un tourment atroce. Nessy sentait tout cela comme si elle ne faisait qu'un avec lui, cet inconnu qui était son père.

Esteban, alarmé, accourut vers lui pour le relever.

— Pablo, excuse-moi, j'aurais dû te prévenir !

Pablo le regarda, complètement absent. L'étourdissement dans sa tête était à son comble. Esteban le secoua, mais rien.

Ce fut Nessy qui le sortit de sa torpeur en lui adressant la parole.

— Je m'appelle Nessy, commença-t-elle.

— Nessy comme dans *vanessa*, murmura-t-il, ensorcelé par les réalités qui se dévoilaient à lui. Tu es...

— Ta fille, il semblerait !

— Oui, j'ai cru le remarquer. C'est assez... psychédélique !

Esteban soupira, soulagé. Le chaman semblait revenir à lui.

— Mais, comment... ? dit-il en essuyant ses larmes. Puis, se reprenant : Excusez-moi ! Vous devez être épuisés. J'en oublie mes manières.

Il prit Esteban par un bras et présenta l'autre à Nessy. Elle lui sourit tendrement et s'accrocha à son flanc. Des larmes coulaient sur ses joues. Pablo en sécha quelques-unes de son pouce, puis lui murmura tendrement :

— Ne t'en fais pas, nous allons faire connaissance tranquillement.

À l'hôpital, Nessy dut contrôler la douleur envahissante des gens.

Enfin, elle put prendre une bonne douche, car la plus récente datait du dernier motel sur le continent nord-américain.

Pendant ce temps, Pablo s'informait à son sujet auprès d'Esteban.

— J'ai peine à y croire !

— J'ai tant de choses à te raconter, Pablo, répondit Esteban, exténué.

Toute la pression de ses dernières aventures se relâchait tranquillement devant la tendresse qu'il pouvait lire sur le visage de son chef.

— Tu as l'air mort de fatigue et de stress, mon pauvre Esteban.

— Plus que tu ne le crois !

— Vous avez eu des pépins ?

— Oui...

Nessy se présenta devant eux, fraîchement lavée, peignée et vêtue d'une robe qu'une paysanne s'était empressée de lui trouver. Elle était magnifique et radieuse. Esteban resta bouche bée devant la beauté rayonnante qu'elle dégageait. Pablo, qui avait remarqué le trouble de son protégé, lui dit :

— C'est à ton tour, le putois !

Esteban, conscient de l'odeur de sa sueur qui emplissait la pièce, acquiesça sans réticences. Lorsqu'il réapparut, lui aussi semblait un tout autre homme : barbe rasée, cheveux coiffés et eau de cologne. Nessy eut peine à le reconnaître.

Pablo prit congé de ses fonctions de guérisseur. Personne ne s'y opposa. Les langues allaient déjà bon train au sujet de la jeune fille nouvellement venue.

Ils allèrent manger au petit restaurant qui servait, pour tout repas, des sandwichs chauds, et s'assirent à une table dehors. Pablo et Nessy firent connaissance timidement en mangeant.

— Parle-moi de toi, lui dit Pablo, qui n'osait pas poser la question qui l'intriguait le plus : qu'était devenue Julia et pourquoi n'avait-il jamais entendu parler d'elle ou de sa fille ?

— Je fréquentais une école privée, car mon grand-père, Édouard Names...

Les poils de Pablo se retroussèrent, et il fut parcouru d'un frisson incontrôlable en entendant ce nom. Nessy, remarquant sa réaction, changea son discours.

— J'avais perdu la mémoire et, graduellement, je la retrouve. Je crois que ma mère est malade, mais je ne sais pas où elle est. J'ai dû me sauver de mon école, car je n'étais pas en sécurité. Je me suis rendue au camp de Victor où Esteban m'a reconnue. On s'est sauvés juste avant que l'armée n'attaque. Et me voici donc.

— Bien ! répondit Pablo. Décidé à ne plus poser de questions sur elle ou sa famille, il commenta, naïvement : Le voyage n'a sûrement pas été de tout repos.

Esteban et Nessy échangèrent un regard lourd, car les deux appréhendaient le moment où ils devraient apprendre à Pablo la mort de Pedro, par la main même d'Esteban, son protégé adoré.

Pablo, ne sachant interpréter ce mystérieux regard, poursuivit :

— Je veux que vous dormiez de bonnes heures de sommeil, ce soir. Nessy, je vais te montrer le village. Esteban, tu peux rentrer chez toi. On se reverra au repas ce soir, si tu veux.

— Oui, chef, répondit Esteban sans discuter.

Quant à elle, Nessy aurait préféré qu'Esteban demeure avec eux. Passer les prochaines heures seule avec son père, cet inconnu, l'angoissait.

Esteban se leva, salua Pablo et se tourna vers Nessy. Elle se leva spontanément et l'étreignit longuement, l'entourant de ses bras, le remerciant chaudement de l'avoir emmenée jusqu'ici saine et sauve. Esteban fondit de gêne devant l'effet que cette longue accolade aurait sur son père. Il se dégagea rapidement, un peu rouge, et prit aussitôt congé de son chef, en évitant son regard interrogateur. Son départ subit laissa Nessy incertaine, et elle hésita à se rasseoir auprès de son père.

Pablo se leva et lui dit :

— Viens, je vais te montrer ton nouveau chez-toi.

En lui désignant l'école, il l'informa qu'elle pourrait y aller dès qu'elle se sentirait prête ; il lui expliqua que la vie *comme avant* y était enseignée, car la philosophie des rebelles allait à l'encontre de l'évolution biotechnologique.

— Tu verras, tu pourras t'y faire de nouveaux amis, lui déclara-t-il en souriant.

Il ne savait pas trop comment lui parler. Son cœur était encore figé dans sa poitrine, et sa tête troublée de confusion. Il ne voulait pas la brusquer ni la bombarder de questions. La nouvelle de la maladie de Julia l'attristait, mais il craignait d'en savoir davantage. C'était un aspect de sa vie qu'il avait enfoui profondément dans les oubliettes de son cœur.

Nessy regardait son nouvel environnement, curieuse, mais ne pouvait cesser de se demander où était Esteban. Pablo s'arrêta devant une maisonnette, près de l'école.

— C'est ici que tu vas vivre, expliqua-t-il.

— C'est ta maison ?

— En quelque sorte.

Nessy le regarda, intriguée.

— En fait, c'est la maison de mon enfance mais, depuis que je suis chaman, j'habite une hutte en forêt.

— Alors, qui vit ici ?

— Une gentille vieille dame. Elle était un peu ma nounou, quand j'étais enfant. Tu verras, elle est adorable.

Pablo cogna à la porte et appela :

— Maria ?

Une petite Métisse bien en chair, aux cheveux gris tirés en chignon et aux rides à s'y perdre comme dans un labyrinthe, ouvrit la porte.

— Si, señor ? répondit-elle en ouvrant.

Elle se figea à la vue des deux visiteurs, puis elle s'exclama en regardant la jeune fille qui accompagnait son patron : « Madre de Dios ! »

— Je vous présente Nessy, Maria ! Elle va venir habiter avec vous. Vous n'y voyez pas d'inconvénient ?

— No, no, señor, répondit-elle en souriant largement à Nessy, qui lui retourna son sourire amical.

— Elle ne parle pas espagnol, ajouta Pablo à l'intention de la vieille dame.

Il expliqua à Nessy que Maria parlait très peu le français, mais qu'elle n'avait aucun mal à communiquer, les langues n'étant, pour elle, qu'une des milliers de façons de se faire comprendre.

Dans le village de Pablo, de nombreux Métis parlaient espagnol, même si le village comme tel était en territoire brésilien. Car Pablo était hispanique, de par les origines de sa mère, et un grand nombre de Péruviens partageant son idéologie étaient venus se réfugier dans son camp. Il y avait également une forte proportion d'indiens guaranis qui étaient membres de la tribu du père de Pablo, un indien pur. Pour eux, Pablo était leur chaman ; pour les premiers, il était leur chef.

— Je te laisse te reposer et faire connaissance avec Maria, annonça Pablo à Nessy, puis on se voit au repas. C'est d'accord ?

— D'accord !

Pablo se retira après avoir embrassé sa fille sur le front. Il alla directement dans la forêt pour se rendre au temple des esprits, tout près de sa hutte, où il avait l'habitude de faire ses cérémonies d'*ayahuasca*. Il s'agenouilla devant l'autel, de chaudes larmes sillonnant ses joues.

— Pourquoi ? s'écria-t-il. Pourquoi m'accabler d'une telle épreuve ? C'est ma fille ! Pourquoi faut-il que ce soit elle qui porte le poids du destin du peuple de la terre ? Je suis incapable d'assumer un tel fardeau, pitié !

Il criait au ciel d'une voix enragée, puis il fondit en larmes, désespéré. Depuis de nombreuses années, il avait su, par les esprits, qu'il devrait préparer cette entité à l'avènement du *pachakuti*, car la Pachamama l'avait voulu ainsi.

Jamais, toutefois, il n'aurait pu imaginer que cette entité fut sa propre fille.

Une fille dont il ignorait jusqu'alors, l'existence même.

— CHAPITRE XIII —

Esteban s'était profondément assoupi aussitôt qu'il avait posé la tête sur l'oreiller. Lorsqu'il s'éveilla, il était presque l'heure du repas, aussi alla-t-il rejoindre Pablo chez lui. Il le trouva sortant du temple, les yeux boursouflés par les pleurs. Esteban fut gêné de le regarder, tellement c'était évident qu'il avait pleuré toutes les larmes de son corps. De tous ceux qui connaissaient Pablo, Esteban était le seul à savoir que Pablo aimait encore Julia de tout son cœur.

— Tu t'es reposé, Esteban ?

— Oui, Pablo. Je voudrais te parler.

— Viens, prenons un thé chez moi.

Esteban était angoissé par le lourd poids du secret qu'il portait, et qu'il devrait bientôt avouer à Pablo. Ils s'installèrent sur les paillasses avec leur thé, et Pablo entama la conversation :

— Je suis fier de toi, Esteban, tu as accompli ta mission avec succès.

— Je ne le suis pas autant, Pablo.

Pablo ne comprenait pas.

— J'ai un terrible secret à t'avouer, un secret qui me ronge le cœur. Mais avant, laisse-moi te parler de ta fille.

Perplexe devant l'attitude de son protégé, Pablo écoutait silencieusement, en hochant de la tête pour encourager Esteban à poursuivre.

— Nessy est très particulière, elle a un don. Un don inquiétant. Elle a, sans aucun doute, hérité de ton gène Boto. Et l'armée est au courant.

— Je vois !

— Non, je doute que tu voies exactement. Elle guérit comme par magie, Pablo ! C'est incroyable, inexplicable !

Esteban s'exprimait avec nervosité, ses yeux brillant d'une étrange lueur quand il parlait de la jeune fille.

Pablo le regardait, troublé.

— Esteban, calme-toi. Je ne doute pas que Nessy soit spéciale, et je crois aussi que vous avez vécu beaucoup de choses ensemble sur votre route, qui ont dû créer un lien intense entre vous deux, mais...

— Je ne parle pas de ça, le coupa le jeune homme, un affront qu'il ne se serait jamais permis par le passé.

Pablo en fut légèrement vexé. Non qu'il n'eût jamais usé d'autorité envers Esteban, mais cela s'était toujours fait naturellement, sans affrontement. L'attitude de son protégé était définitivement inhabituelle.

— Je disais donc, reprit Pablo en fixant le jeune homme de son regard puissant, que c'est normal que tu sois ainsi bouleversé.

Esteban soupira. Ce qu'il ressentait était tellement plus grand que tout ce qu'il pouvait décrire... mais comment l'expliquer ? Découragé, il avoua :

— D'accord, Pablo. Je ne le nierai pas, je suis épris d'elle. Mais ce que j'essaie de te dire, c'est tout autre chose. M'écouteras-tu maintenant ?

Pablo, déboussolé, acquiesça de la tête. Esteban remonta sa manche gauche et déclara :

— Regarde ce qu'elle a fait !

— Il n'y a rien sur ton bras.

— Regarde plus attentivement.

Pablo se rapprocha et scruta le bras gauche d'Esteban. Il y vit une cicatrice qu'il n'avait jamais vue auparavant, qui sillonnait l'avant-bras du jeune homme.

— On dirait une cicatrice guérie depuis une dizaine d'années.

— La chair était lacérée jusqu'à l'os par des pales d'une hélice, Pablo.

Pablo sonda, sceptique, les magnifiques yeux noisette du jeune homme. Il demeurait perplexe.

— Elle m'a guéri d'un simple toucher du bout des doigts, rajouta doucement Esteban.

— Je ne comprends pas... c'est incroyable !

— C'est pourtant la pure vérité.

— Comment t'es-tu fait cette blessure ?

Esteban baissa brusquement les yeux.

— C'est ce que je dois t'avouer, Pablo.

Devant le silence de Pablo, Esteban releva les yeux et commença :

— Nous avons eu tant d'aventures en cours de route. Entre l'armée qui nous pourchasse, une tornade qui nous oblige à se terrer et des serpents qui nous menacent, il nous est arrivé un gros pépin, au départ de Manaus.

— Explique-moi, Esteban.

Un nœud douloureux s'installa dans la gorge du jeune homme qui ne souhaitait qu'une chose : cracher ce douloureux secret.

— J'ai tué un homme, bégaya-t-il, les larmes aux yeux, sans oser regarder son chef.

— Qui ça ?

— Pedro, le conducteur de bateau des rebelles. Il nous a attaqués, je ne comprends pas pourquoi. Il a délibérément tenté de me tuer et de s'enfuir avec Nessy.

— Esteban, que racontes-tu ? Tu délires ? bondit Pablo.

— Excuse-moi, Pablo ! Je te jure que je ne voulais pas le tuer ! Mais il nous a bel et bien attaqués.

La tête de Pablo tournait, il ne pouvait imaginer pourquoi un des hommes de son propre frère attaquerait son meilleur homme à lui.

— Te rends-tu compte de ce que tu avances ? Tu es bien certain de ce que tu me dis ?

Esteban pleurait, meurtri par la honte d'avoir déçu son chef. À ce moment-là, il aperçut Nessy à l'entrée de la hutte, émue et les yeux pleins d'eau. Maria l'y avait conduite à sa demande.

— Il dit la vérité, Pablo. Et s'il n'avait pas écouté mon pressentiment, il serait mort au fond du fleuve, et qui sait où je serais à l'heure qu'il est ! ajouta-t-elle. Sa voix était pleine d'assurance et ses yeux perçants de vérité.

Pablo eut un frisson qui lui parcourut le corps tout entier.

— Je vous crois, c'est juste que je ne comprends pas pourquoi Pedro aurait fait une telle chose.

Esteban essuyait ses larmes, incommodé par l'irruption de Nessy.

Pablo sentait confusément le lien qui unissait Esteban et Nessy. Il aurait voulu parler encore seul à seul avec Esteban, pour lui faire part de ses inquiétudes, mais il préféra attendre que Nessy soit au lit.

Ils allèrent manger.

Après le repas, Pablo invita Nessy à aller se reposer pour récupérer toute la fatigue accumulée. Il le fit d'un ton amical, mais qui ne laissait pas place à discussion. Dès qu'elle fut partie, Pablo alla droit au but. Il obtint d'abord d'Esteban qu'il lui raconte en détail l'incident du bateau, puis il enchaîna :

— Esteban, tout cela m'inquiète beaucoup. Les armées se préparent à envahir. Les rebelles sont sur leurs gardes, mais ne savent pas du tout par où se protéger. Je crois que l'incident avec Pedro en témoigne, même si je ne m'explique pas pourquoi les rebelles s'attaquent entre eux.

— Il faudra peut-être s'informer auprès de Martin, déclara Esteban timidement.

— Je le ferai. Mais il sera furieux quand il apprendra l'incident. Il risque de t'en vouloir au point de vouloir ta mort.

Esteban baissa les yeux, honteux.

Pablo regardait au loin, en proie à une profonde réflexion.

— Et toute cette histoire avec Nessy..., murmura-t-il pour lui-même. Puis, se tournant vers Esteban : Je crois que ce que j'ai à t'annoncer tombe à point !

Esteban le regarda, curieux.

— J'ai une nouvelle mission pour toi. Des rumeurs courent qu'une certaine multinationale prépare une armée pour envahir la Terre sans mal. J'ai besoin de quelqu'un pour infiltrer leurs rangs, afin qu'on puisse prévoir leur attaque, et je veux que ce soit toi.

Esteban se raidit sur son siège, frappé de plein fouet par cette demande. Il avait toujours accepté les missions que son chef lui confiait, sans jamais dire un mot.

— Je ne peux pas, Pablo.

— Pardon ? s'insurgea Pablo en le foudroyant du regard.

— Je dois protéger Nessy, elle m'a sauvé la vie ! expliqua-t-il. Puis, en passant une main sur son cou, il lui parla de la morsure venimeuse du *shushube*. Je t'ai dit qu'elle est plus que ta fille...

— Tu viens de refuser d'obéir à mon ordre, Esteban ? l'interrompit Pablo, outré.

— Excuse-moi Pablo, répondit Esteban en baissant les yeux. C'est que... toute ma vie tu m'as préparé à un événement... et je sais qu'elle y est pour quelque chose ! Tu m'avais dit que le Pachamama se préparerait en propulsant une évolution des êtres choisis.

Pablo fut accablé en s'apercevant qu'Esteban avait percé ce secret que lui-même ne voulait pas accepter.

— Esteban, je sais qui elle est, même s'il m'est très douloureux de m'y soumettre, mais ce n'est pas pour demain. Je dois avant tout lui enseigner tout ce qu'elle devra savoir, et la préparer convenablement à son destin. Tu as tout le temps pour accomplir la mission que je te confie. Je crois que tu as besoin d'un peu de recul dans cette histoire... et je préfère que tu sois loin d'ici quand Martin apprendra la mort de Pedro.

— Mais...

— Esteban ! Tu ne me crois pas capable de protéger ma propre fille ?

Pablo venait de monter le ton pour la première fois avec son protégé. Esteban en éprouva une honte terrible et déclara malgré lui :

— Je partirai à l'aube, chef !

Son visage était dur, son cœur frappait tel un tambour qui résonne à mille lieux à la ronde. Pablo sentit un pincement dans le sien. Il avait eu recours à l'autorité malgré lui. Il éprouvait un sentiment ambivalent de jalousie face à l'attitude d'Esteban envers Nessy. Était-il jaloux que le jeune homme accorde plus d'importance à Nessy qu'à lui, ou était-ce plutôt que Nessy semblait faire plus confiance à Esteban qu'à lui ? Il était confus.

Et le *pachakuti* dans tout cela ?

Pourrait-il l'éviter ou devrait-il se plier à la volonté des esprits ?

Esteban le sortit de ses réflexions en lui annonçant qu'il se retirait pour se préparer.

— Esteban, l'interpella Pablo avant qu'il ne sorte. Pourquoi ne me fais-tu pas confiance ?

— Tu as toute ma confiance, Pablo, pourvu que tes intentions soient sincèrement dictées par les intérêts de notre Mère la Terre, et non par un quelconque sentiment humain.

— Ça vaut pour toi aussi !

— C'est pour cette raison que dans le doute je préfère accomplir ta mission. Au revoir Pablo, on se verra demain.

Pablo resta seul à la table du restaurant, qui se préparait à fermer. Le cœur gros, il éprouvait une solitude amère devant toutes ces épreuves. Les choix qu'il devait faire étaient loin d'être faciles. Il détestait devoir envoyer Esteban au loin encore une fois, surtout après avoir vu comment sa dernière mission l'avait changé. Mais il sentait que là était son devoir.

Son intuition l'avait-elle déjà trompé ?

Il se prit la tête à deux mains, au bord du désespoir.

— CHAPITRE XIV —

Nessy avait fait un cauchemar qui la réveilla à l'aube. Elle y voyait Esteban avec un homme grand et mince qui, lorsqu'il se tournait vers elle, portait un masque noir qui lui couvrait la moitié du visage. Il avait des yeux bleus tellement clairs qu'ils paraissaient blancs et souriait d'un air mesquin. Il prenait Esteban par l'épaule, et partait avec lui en riant. Nessy avait interpellé Esteban, mais ce dernier ne semblait pas l'entendre. Elle avait beau crier, le jeune homme ne se retournait point.

Elle se leva, s'habilla et s'apprêtait à partir quand Maria la salua amicalement dans la cuisine.

— Buenos dias, Nessy !

— Bonjour, Maria.

— Toi, comme papa Pablo.

— Pardon ?

— Toi, dormir et parler.

— Ah oui ! J'ai fait un cauchemar.

— Si, si, cauchemar ! répéta-t-elle en hochant la tête. Maintenant, toi, manger, ajouta-t-elle en préparant des rôties pour la jeune fille.

Nessy, qui était pressée de raconter son cauchemar à Esteban, mangea à la course, et après avoir remercié la vieille dame, sortit pour retrouver son ami. Elle croisa alors Pablo, qui arrivait :

— Bonjour ! Tu es matinale !

— Oui, je dois parler à Esteban, expliqua-t-elle.

— Il est occupé ce matin.

Au même moment, Luis sortait de sa maison avec Raoul. Ils allaient chercher Jorge, pour travailler sur les pièges.

— Viens, je veux te présenter à quelqu'un, déclara Pablo à Nessy.

Ils se dirigèrent vers l'homme et le garçon.

Nessy reconnut Luis immédiatement en l'apercevant : c'était le garçon mourant qu'elle avait vu dans son rêve, avec le dauphin.

Raoul regardait Nessy avec étonnement, en silence. Pablo les présenta. Luis regardait Nessy avec intérêt. Il la trouvait jolie.

Soudainement, il lui sembla comprendre quelque chose :

— C'est votre fille ? demanda-t-il ?

— Oui, c'est aussi le papillon dont je t'ai parlé.

Luis rougit. Nessy resta muette devant l'allusion de Pablo.

— Tu vois, Nessy, grâce à toi, nous avons trouvé Luis à temps pour le soigner. Je vous laisse faire connaissance, ajouta Pablo en incitant Raoul à l'accompagner pour laisser les deux enfants seuls.

— Je ne sais pas comment tu as fait, mais merci !

— De rien. Tu t'étais empoisonné aux champignons, n'est-ce pas ?

— Oui, c'était stupide.

— Tu ne pouvais pas savoir. Une vieille amie m'a enseigné à les reconnaître. Elle m'a aussi dit que si on ne fait pas extrêmement attention, on risque souvent se tromper, même si on les connaît bien,.

— Tu as quel âge ?

— Je vais avoir douze ans.

— Ah oui ? Je pensais que tu étais plus vieille. Quand les auras-tu ?

— Je ne sais pas. Je ne me souviens pas de ma date de naissance, répondit Nessy, en haussant les épaules.

Luis trouva la réponse étrange, mais n'insista pas.

— J'ai douze ans, moi aussi.

Nessy lui sourit.

— Tu te plais ici ?

— Oui, beaucoup.

Pendant qu'ils faisaient connaissance, Pablo avait déposé Raoul chez Jorge, et s'était rendu chez Esteban.

Il cogna à la porte.

— C'est ouvert ! lança Esteban.

Pablo entra. Il trouva Esteban affairé à préparer sa valise. Pablo sentit un poids dans sa poitrine. Le jeune homme ne se tourna même pas pour le saluer.

— Tout est presque prêt. Où dois-je me rendre ? demanda-t-il à son chef sèchement.

— Esteban ? dit Pablo doucement.

Le jeune homme se tourna vers lui et le regarda de ses yeux noisette attristés. Son sourire manquait à l'appel, celui qui marquait sa physionomie habituelle.

— Je ne peux pas te laisser partir dans cet état.

— Je ne suis pas fâché. Je m'interroge sur les raisons qui te poussent à me confier cette mission, et à m'éloigner. Je croyais que tu me faisais confiance.

— Je te fais confiance ! s'exclama Pablo, déconcerté par cette allégation.

— Alors comment peux-tu penser que je ferais quelque chose d'impensable à ta fille ? lança Esteban, son regard lourd de reproche dardant Pablo, qui se sentit rougir.

— Non, je ne... tenta-t-il de se défendre.

— Donne-moi le nom de mon contact et l'endroit où je dois le trouver, s'il te plaît, car plus vite je serai parti, mieux tout le monde se portera.

Pablo savait qu'Esteban était blessé dans son orgueil, et qu'il lui faudrait du temps pour pardonner.

— Ton contact s'appelle William. Prends ta motomarine, ct une fois rendu à Manaus, tu prendras l'avion pour une destination qui te sera communiquée à ton arrivée à l'aéroport. William t'attendra à destination. Il a les yeux bleus très clairs et un fort accent irlandais. Il t'informera de ta nouvelle identité là-bas. Tu dois être très vigilant. Tu m'enverras des messages codés quand tu le pourras, d'accord ?

— D'accord. C'est tout ?

— Je crois ! répondit Pablo, peiné.

— J'imagine que tu ne veux pas que je lui dise au revoir ?

Pablo avoua :

— Je préfère que non, en effet. Elle ne voudra pas que tu partes.

Esteban soupira profondément.

— Tu le lui diras de ma part, alors !

— Oui. Sois prudent Esteban, dit Pablo en lui ouvrant les bras.

Esteban baissa les yeux mais ne répondit pas à l'invitation

— T'en fais pas, Pablo...

Puis il sortit en l'esquivant, sans l'embrasser comme à l'habitude.

Pablo en fut amèrement déçu.

Sur le perron, Esteban se retourna et rajouta :

— Je compte sur toi pour la protéger.

Ignorant la remarque du jeune homme, qui l'avait piqué au vif, Pablo reprit son allure de chef et répondit :

— Les informations que tu recueilleras au camp ennemi sont primordiales pour assurer la sécurité de la Terre sans mal. Sois vigilant et prudent.

— D'accord.

Esteban partit le cœur gros et les larmes aux yeux, sans se retourner ni passer par le village.

Nessy et Luis avaient parlé un peu de leur vie, en évitant de se parler de leurs dons respectifs. Puis, Luis s'était excusé pour aller rejoindre les deux hommes qui l'attendaient afin d'aller poser quelques pièges. Nessy n'en fut pas déçue, car elle était anxieuse de parler à Esteban. Ne sachant pas où il vivait, elle se dirigea dans la direction que Pablo avait prise un peu plus tôt. Elle le croisa de nouveau.

— Tu vas où ? lui demanda-t-il.

— Où est Esteban ?

— Il est parti.

— Parti ?

— Je lui ai confié une mission.

— Une mission... Il sera de retour ce soir ?

— Non.

— Quand reviendra-t-il, alors ?

— Pas avant un bon moment.

Nessy regarda Pablo dans les yeux, d'un air interrogateur.

— Il n'est pas venu me dire au revoir ?

— Il m'a demandé de le faire à sa place.

— Quoi ? s'exclama-t-elle, outrée. Elle le fixa des yeux et ajouta : Tu mens !

Pablo fut abasourdi par son attitude.

— Pardon ?

— Je dis que tu mens ! Esteban n'aurait jamais fait cela.

Pablo la regarda, découragé. De toute évidence, il ne pourrait pas la berner. Elle possédait une intuition hors pair qu'il pressentait fort bien.

— Écoute, Nessy, je sais que tu t'es beaucoup attachée à Esteban. C'est un adorable jeune homme, et tu as dû te sentir en sécurité auprès de lui. Mais ça vous fera grand bien de ne pas vous voir durant quelque temps.

— Mais... Esteban est en danger ! J'ai fait un cauchemar dans lequel je le voyais avec un homme aux yeux presque blancs, portant un masque, qui lui voulait du tort !

Pablo fut étonné. Se pouvait-il qu'elle soit dotée de meilleurs dons prémonitoires que lui ? Il refusa de le croire.

— Tu te fais seulement un peu de souci, c'est normal.

— Non. Tu es pareil à mon grand-père ! siffla-t-elle. De toutes les armes qu'elle aurait pu choisir pour le blesser, aucune n'aurait pu être plus douloureuse. Vous croyez que ma vie vous appartient. Pourquoi ceux que j'aime doivent-ils partir au loin ? finit-elle en pleurant.

Pablo tenta de la réconforter.

— Je t'aime, Nessy ! Je ne suis pas comme ton grand-père, dit-il, même si cette analogie le dégoûtait.

Nessy sanglotait amèrement.

— Viens, rajouta-t-il doucement, j'ai une surprise pour toi.

Les yeux noyés de larmes, Nessy leva vers lui un regard sceptique. Il lui prit la main et l'emmena chez lui. Ils passèrent derrière la hutte et s'en éloignèrent un peu. Mistral, sentant la présence de Nessy, émit un hennissement qui retentit dans la jungle.

Nessy se figea et regarda Pablo d'un air interrogateur. Pablo hocha la tête en signe d'acquiescement.

— Mistral ! s'écria Nessy, tremblante de joie.

Elle courut vers lui et l'embrassa de toutes ses forces. L'animal blottit son museau dans son cou et la chatouilla de son souffle. Elle pleurait de chaudes larmes – de joie, cette fois-ci. Pablo la regardait tendrement en souriant, satisfait. Nessy ne prit même pas la peine de demander la permission.

Elle détacha Mistral, le monta et s'élança au trot dans la forêt.

Pablo resta sur place, immobile, pris au dépourvu.

— Chapitre XV —

Nessy marchait dans cet étrange hôpital où elle avait déjà entendu sa mère l'appeler. Son nom résonnait encore une fois dans les corridors, mais cette fois-ci, la voix était plus claire et assurée. Un brouillard tapissait l'atmosphère lugubre de l'hôpital. Elle ouvrit une porte et la voix lui parla clairement.

— Nessy, je sais qui tu es. Je me souviens.

— Maman ?

— Oui.

— Où es-tu ?

— Je ne sais pas. Mes yeux restent fermés et mon corps immobile. Mais ma mémoire m'envoie des images, des images de toi.

— Tu es malade, n'est-ce pas ?

— Oui.

— Je veux t'aider, maman !

Nessy pleurait. Les yeux embués de larmes, elle entrevit une silhouette derrière des barreaux, faite de brouillard. Elle tenta de la toucher. La voix soupira et lui dit :

— Merci, Nessy !

Le moniteur cardiaque de Julia s'accéléra et une alarme retentit dans la petite chambre privée de la clinique Island Park. Elle ouvrit brusquement les yeux et regarda autour d'elle, perdue. Une infirmière surgit pour vérifier l'état de la patiente. En voyant cette dernière éveillée, elle sursauta, surprise de ce réveil inespéré. Elle fut encore plus déconcertée de l'entendre parler.

— Nessy ! Où est ma fille Nessy ? murmura Julia difficilement.

L'infirmière sortit chercher un médecin d'un pas empressé. Ils revinrent tous deux sans tarder.

— Madame Names ? Est-ce que vous m'entendez ?

— Oui ! Qui êtes-vous ?

— Je suis docteur. Vous êtes dans une clinique de longue durée.

— Où est ma fille ?

— Pardon ?

— Nessy, ma fille, où est-elle ?

— Je crois, madame, que vous êtes un peu confuse. Vous sortez d'un long coma. Pour tout vous dire, c'est assez spectaculaire, expliqua-t-il en faisant signe à l'infirmière de s'occuper des signes vitaux de la patiente. Il est difficile pour vous en ce moment d'avoir les idées claires.

— Je veux voir Nessy ! Où est mon père ?

Julia perdait patience.

— Monsieur Names est en voyage d'affaires, nous allons tenter de le joindre au plus vite. Maintenant, il faut vous calmer.

— Je veux me lever.

— Il faut y aller progressivement, madame. Vos muscles n'ont pas bougé depuis un mois.

Julia tenta de bouger ses membres, mais ils étaient ankylosés et ne répondaient pas aux ordres de son cerveau. Elle soupira.

— Puisque vos signes vitaux semblent stables, nous allons faire venir un physiothérapeute pour vous aider à retrouver votre mobilité. Je comprends votre frustration.

Il vous faudra être patiente, avoua le médecin avec une voix posée et douce.

Il fit signe à l'infirmière de le suivre. Ils sortirent de la chambre.

— Elle semble sous le choc. Envoyez-moi le physiothérapeute, ordonna le docteur à l'infirmière.

Puis, murmurant pour lui-même :

— Je crois qu'elle aura besoin de calmants, si elle persiste à chercher une fille...

Le physiothérapeute, un petit homme mince, arriva une demi-heure plus tard. Il alla voir Julia qui, toujours éveillée, semblait désespérée de sa situation.

— Bonjour, madame Names. Quelle agréable surprise vous nous faites en vous réveillant ainsi ! lui lança-t-il d'un air enjoué en souriant amicalement. Je suis Georges, votre physiothérapeute. Je vais vous aider à réveiller vos muscles endormis.

— Merci, Georges. Est-ce qu'ils vous ont dit s'ils avaient trouvé où est ma fille ?

— Votre fille ? Mais probablement à l'école, comme tous les enfants, non ?

— À quelle heure revient-elle de l'école ?

— Les enfants restent et vivent à l'école, madame.

— Toujours ?

— Bien oui ! Je vais lever la tête de votre lit pour commencer les exercices, d'accord ?

— Oui.

Il leva la tête de lit et commença à travailler sur le cou de Julia, lui faisant faire des cercles pour réchauffer les muscles. Julia, qui ne comprenait pas comment Nessy aurait pu se trouver dans une école, continua à lui poser des questions. L'homme finit par conclure que la pauvre femme était un peu perturbée par son coma, et il décida de lui changer les idées en lui parlant de tout et de rien. Il travailla ainsi pendant des heures. Julia, découragée, avait fini par se taire et se concentrer pour retrouver le plus vite possible sa mobilité.

Quand l'infirmière vint lui administrer ses médicaments, elle réclama de nouveau sa fille. L'infirmière en fit part immédiatement au médecin, qui ordonna de lui administrer des calmants. Elle retourna voir Julia :

— Tenez, madame ! Ceci va vous aider à vous détendre.

— Qu'est-ce que c'est ?

— Des calmants.

— Non ! cria Julia. Je ne veux pas de calmants ! Je commence à pouvoir utiliser mes muscles et je n'ai pas l'intention de rester couchée ici. Je veux retourner chez moi ! Nessy doit y être, avec Juanita.

— Madame, vous êtes trop perturbée pour entendre raison. Les enfants ne sont pas à la maison. En tant que fille du ministre de la Santé, vous êtes certainement au courant de cela, non ? Vous ne pouvez pas sortir dans cet état-là, alors mieux vaut vous détendre. Le docteur tente de joindre votre père, d'accord ?

Julia comprit qu'elle devrait trouver quelque chose pour sortir de cette clinique.

L'effet du calmant ne tarda pas à se faire sentir.

Elle finit par s'endormir.

Monsieur Richard entra dans son bureau. Il revenait d'un petit voyage. Après le stress de l'armée à l'école, un peu de vacances était de mise.

— Bonjour, monsieur Richard !

Le directeur d'Utopgen sursauta ; un homme se trouvait assis sur sa chaise. Il reconnaissait la voix. La chaise pivota dans sa direction et il aperçut le général

Rivers, celui-là même qui lui avait hurlé dans les oreilles à l'école.

Le général se leva, imposant, et s'approcha de Monsieur Richard en présentant sa main puissante. Monsieur Richard, qui suait et tremblait de peur, lui tendit une main fébrile et moite, que le général secoua brièvement avec dégoût.

— Que me vaut cette visite matinale ? bégaya le directeur.

— Votre voyage était reposant ?

— Oui, merci.

— Voyez-vous, moi, ça fait des semaines que je ne me repose pas. Je cherche et je cherche. Et maintenant, je sais que c'est ici que je trouverai mes réponses.

Monsieur Richard respirait difficilement. Il invita le général à s'asseoir, mais sans succès. L'homme restait debout devant lui, lui barrant la route.

— Madame Botrel m'a dit que la mystérieuse jeune fille avait été intégrée aux rangs de l'école par une belle nuit, remplaçant ainsi une fillette morte le matin même. Et cela, sous vos ordres !

— Euh... Je peux tout expliquer !

— Soyez bref, je n'ai plus de temps ni de patience.

— Je ne savais pas que c'était sa petite-fille. J'avais une dette envers lui, car il avait sauvé Utopgen d'un scandale sur le clonage. Alors vous comprenez... Je n'ai pas posé de questions, j'ai juste... intégré la fillette, comme il me l'avait demandé.

Il parlait à toute allure, avec une nervosité grandissante.

— Mais qu'est-ce que vous racontez ? De qui parlez-vous ? La petite-fille de qui ?

— Mais... d'Édouard Names, voyons !

— Quoi ? s'écria le général. Il ajouta, réfléchissant tout haut : Mais oui... tout s'explique maintenant.

— Je penserai à votre coopération lorsque votre cas sera étudié en justice, lança-t-il à monsieur Richard en ouvrant la porte du bureau pour le quitter.

Il n'avait plus l'intention de perdre de temps. Il donna l'adresse de Names à son chauffeur, qui l'y déposa après une vingtaine de minutes de route. Le général bouillait. Il nous a bien bernés, songeait-il. Il cogna férocement à la porte de l'imposante demeure. Juanita, la domestique, vint ouvrir et reçut le général dans le hall d'entrée.

— Que puis-je faire pour vous, monsieur ?

— Je voudrais voir Édouard Names, immédiatement. Dites-lui que c'est le général Rivers.

— Monsieur Names est en voyage, monsieur.

— En voyage où ?

— En Amérique du Sud.

— Quand revient-il ?

— Il n'a pas donné d'indications à ce sujet.

— Il est parti depuis longtemps ?

— Une semaine environ. Voulez-vous lui laisser un message ?

— Non ! Est-ce que je pourrais voir sa fille ?

— Julia ? Elle est malade, monsieur. Elle est hospitalisé à Island Park, non loin d'ici.

— Merci madame. Je ne vous retiendrai pas plus longtemps dans ce cas-là.

Il remonta dans la voiture et ordonna au chauffeur de le conduire à la clinique. La voiture du général s'arrêta devant l'imposant bâtiment. Le général Rivers en descendit et pénétra d'un pas empressé dans la clinique, se dirigeant directement vers le comptoir de renseignements.

— Je cherche madame Julia Names, s'il vous plaît.

La jeune femme tapa le nom à l'ordinateur et dirigea le général vers les soins intensifs, où il demanda à voir Julia.

— Vous êtes de la famille ?

— Un ami de la famille, répondit le général.

— Est-ce monsieur Names qui vous envoie ? Nous tentons de le joindre depuis que madame est sortie du coma. Elle est très perturbée, mais c'est monsieur Names qui est responsable d'elle.

— C'est cela, mentit le général. Comme il ne pouvait pas interrompre son voyage et qu'il est difficile à joindre, il m'a chargé de m'occuper de Julia.

— Bien, je vais vous mener à sa chambre, dit l'infirmière en sortant de derrière son comptoir. Arrivés à la chambre de Julia, l'infirmière cogna à la porte.

— Un visiteur, Madame Names.

— Entrez, répondit Julia.

L'infirmière fit signe au général d'entrer, puis retourna à son poste.

Julia était assise sur son lit. Elle reprenait peu à peu le contrôle de ses muscles.

— Bonjour Julia !

— Bonjour ! Je vous connais ?

— Je suis le général Rivers, un vieil ami de votre père. Il m'a demandé de venir vous voir. Ses affaires le retiennent en Amérique du Sud.

— Je veux sortir d'ici. Je dois rentrer chez moi, lui lança Julia, désespérée.

— Vous voulez revoir votre fille ?

— Oui, exactement. Vous la connaissez, n'est-ce pas ?

— Oui, bien sûr. Édouard m'a beaucoup parlé d'elle. Je peux vous faire sortir, madame, mais vous devez rester discrète.

— D'accord.

— Attendez-moi, je ne tarderai pas.

Il sortit dans le corridor et fit un appel de son cellulaire.

— Sergent ?

— Oui ?

— Général Rivers à l'appareil. Trouvez la signature d'Édouard Names, et faites-moi une lettre qui me donne le droit de sortir sa fille de la clinique Island Park. Je veux cette lettre ici même, à la clinique, d'ici la fin de la journée. Compris ?

— Oui, mon général.

— J'attends. Oh j'y pense ! Trouvez-moi l'endroit exact où Names est parti en voyage cette semaine.

— Oui, mon général.

Le général rangea son téléphone et, avec un sourire mesquin, songea : « Je te tiens presque, Boto ! » .

Il retourna voir Julia, lui expliquant qu'elle rentrerait chez elle très bientôt.

— CHAPITRE XVI —

Nessy se réveilla confuse de son rêve au sujet de Julia. Elle aurait voulu en parler avec quelqu'un, mais n'osait pas le faire avec son père. Elle prit son petit-déjeuner, songeuse, avec Maria qui respecta son silence.

Pablo arriva pendant qu'elles mangeaient.

— Bonjour mesdames !

— Bonjour Pablo !

— Buenos dias, señor Pablo !

— Je peux me joindre à vous ?

— Bien sûr, répondit Nessy.

Maria hocha la tête.

— Tu vas à l'école aujourd'hui, Nessy, d'accord ?

— Oui. Est-ce que Luis y sera ?

Pablo parut content que Nessy s'intéresse à de nouveaux amis.

— Oui, je lui ai dit qu'il commençait aujourd'hui. Les professeurs tenteront d'évaluer votre niveau à chacun. Tu verras, c'est une école bien particulière. Je suis certain qu'elle te plaira. Tu pourras t'y faire d'autres amis, ajouta-t-il.

Nessy, qui était absorbée par son rêve, ne put se retenir d'en parler.

— J'ai rêvé à maman. Elle est très malade et je crois que je l'ai soulagée un peu en l'effleurant dans mon rêve, lança-t-elle.

Pablo se figea. Il devrait aborder ce sujet un jour ou

l'autre, que cela lui plaise ou non ! Il baissa les yeux et soupira profondément. Maria comprit instinctivement qu'elle ferait mieux d'aller s'affairer à autre chose. Elle se leva et s'excusa. Pablo la remercia et, regardant Nessy droit dans les yeux, lui demanda :

— Dis-moi, Nessy, que s'est-il passé avec Julia ? Pourquoi n'ai-je jamais su que tu existais ?

Nessy baissa les yeux. Elle savait que Pablo serait furieux en apprenant la vérité, mais elle ne pouvait pas mentir.

— Elle croyait que tu étais mort en voiture.

— Quoi ? Je ne suis jamais monté en voiture de ma vie !

— Sa mémoire a été manipulée, tout comme la mienne, résuma Nessy.

— Édouard ! cracha Pablo, furieux.

— Ne te fâche pas, papa ! le supplia Nessy.

Le coup porta. C'était la première fois qu'elle l'appelait papa. Il sentit un trop-plein dans son cœur, qu'il contrôla avec un effort surhumain. Nessy continua :

— Un jour, elle m'a offert ce collier, lui dit-elle en désignant le pendentif du dauphin.

Pablo se sentait étourdi.

— Elle croyait qu'il venait de toi, ajouta Nessy.

— C'est vrai, je me souviens comme si c'était hier du moment où je le lui ai passé au cou. C'était la veille de sa disparition.

— Je crois qu'elle est très malade, maintenant, Pablo !

— Tu le sens ?

— Oui ! Grand-père lui a fait oublier mon existence aussi, expliqua Nessy.

Pablo explosa :

— Cet homme est un monstre. Je le tuerai !

Il respirait fort et ses veines semblaient gonfler de rage.

— Dans mon rêve de la nuit dernière, elle m'a dit se rappeler de moi. Sa mémoire lui revenait.

— Nessy ! Je voudrais te parler de ton don, déclara Pablo qui avait repris son calme, la colère n'étant pas une attitude qui collait bien à sa personnalité. Esteban m'a dit que tu guéris mystérieusement ?

— Oui ! Je croyais que je le faisais comme toi, mais Esteban m'a fait savoir que ce n'était pas du tout la même chose.

— Il a raison. Je guéris avec les plantes, et avec l'aide des esprits. Mais la Pachamama a d'innombrables façons de réunir les artisans qui la serviront avec respect.

— La Pachamama ? C'est quoi ça ?

— C'est notre Mère, la Terre. En fait, Nessy, je veux que tu apprennes les notions de l'école, mais je passerai aussi beaucoup de temps à t'enseigner les choses de la nature, de la guérison et de tout ce qui englobe le monde des esprits, car tu es mon héritière et tu ne possèdes pas ces dons pour rien.

— Papa ? Pourquoi ai-je l'impression que mon destin est lourd ?

— Parce que tu es dotée d'une intuition gigantesque, ma fille ! Mais à chaque jour suffit sa peine. Je te demande seulement de ne pas parler de ton don ni de ce que je t'enseignerai. Ce sont des connaissances qui ne s'adressent pas au commun des mortels. Tu comprends ?

— Oui.

— Je veux aussi que tu restes dans le village, même pour chevaucher ton cheval. Comment l'as-tu appelé encore ?

— Mistral !

— C'est cela, Mistral et toi devrez faire vos promenades ici, d'accord ?

— Oui.

— Bon alors...

— Et maman ?

— Qu'est-ce qu'elle a, ta mère ?

— Elle est très malade ! Je ne veux pas qu'elle meure et je veux la revoir !

— Oui, je comprends. Mais c'est très compliqué, Nessy... Toi et moi, nous devons rester en sécurité sur la Terre sans mal, spécialement par les temps qui courent, car les tensions montent partout dans le monde.

— Mais je ne resterai pas ici à attendre qu'elle meure ! s'écria Nessy, outrée.

— Je comprends, Nessy, mais c'est trop dangereux pour toi de sortir d'ici.

— Il faut la faire venir ici, alors !

— Nous verrons.

— Non, nous ne verrons pas !

Nessy perdait patience.

— Je te dis qu'elle est gravement malade. C'est la même chose pour Esteban, il court un grand danger avec cet homme.

Pablo n'aimait pas le ton qu'elle prenait pour lui parler.

— Ne recommence pas, Nessy. Il faut que tu contrôles tes pressentiments, sans quoi ils te feront perdre la tête et tu n'y verras pas clair !

— Je sais ce que je sens !

— Nessy, il te faudra apprendre beaucoup de choses, l'une d'elles étant de respecter les adultes.

— Ceux qui ne font qu'à leur tête ? En tuant, en imposant leurs lois sur des enfants qui en savent parfois plus qu'eux ? Comme grand-père ?

Elle se leva et s'apprêta à sortir, furieuse.

— Nessy, ça suffit ! Je t'ordonne de t'excuser ! lui lança-t-il, pris d'un accès de colère.

Nessy s'enfuit à la course en pleurant. Pablo sortit pour la rattraper. Maria, qui était assise sur une chaise sur le perron de la maisonnette, s'exclama :

— *La paternidad*[2] !

En un mot, elle venait de faire comprendre à Pablo qu'on ne s'improvisait pas père après douze ans d'absence.

— Dios mio ! soupira Pablo, et il décida de laisser Nessy se calmer toute seule.

— N'oublie pas l'école ! lui cria-t-il tout simplement, puis il s'en alla travailler à l'hôpital.

Sur son chemin, Nessy croisa Luis. Il remarqua qu'elle pleurait.

— Nessy ? Ça ne va pas ?

— Je le déteste !

— Ton père ?

— Oui !

— Tu ne veux pas aller à l'école ?

— Non, ce n'est pas à cause de ça !

— Alors, pourquoi ?

— C'est compliqué. Tu veux venir avec moi ?

— Où ?

— Je vais faire un tour avec Mistral, mon cheval.

— Un cheval ?

— Oui ! Viens, ça te plaira, j'en suis certaine.

— D'accord, mais après nous devrons aller à l'école.

Ils partirent chercher Mistral et s'enfoncèrent au trot dans la forêt. Luis adora la sensation. Nessy, que la colère rongeait encore, décida de faire galoper Mistral de plus en plus vite, enivrée par le vent dans ses cheveux. Luis commençait à avoir peur lorsqu'il

---

2 La paternité

reconnut l'endroit où ils se trouvaient et tenta de prévenir Nessy, mais trop tard.

Un énorme billot parsemé de pics et pendu à de grosses lianes se décrocha et se balança violemment, frappant le cheval en plein torse. Mistral s'écroula, les deux jeunes gens volèrent par terre et les lianes cédèrent, faisant tomber le billot sur le corps de la bête. Nessy, qui n'avait eu le temps de rien voir, se releva en s'écriant :

— Mistral !

Luis se releva à son tour, le corps meurtri par le choc de sa chute. Nessy tomba à genoux devant Mistral blessé, coincé sous l'énorme tronc, gémissant de douleur. Les larmes aveuglaient complètement Nessy. Sans hésiter, Luis lui demanda de s'écarter, et devant les yeux ébahis de la jeune fille, il souleva le mastodonte écrasant la bête. Nessy se précipita sur Mistral et, le couvrant de tout son corps, elle le supplia de lui pardonner.

Sans hésiter elle non plus, elle referma les plaies du cheval en les effleurant du doigt et en soufflant dessus. Luis la regarda faire, stupéfait. Une fois la douleur disparue, Mistral se releva. Luis tendit la main à Nessy pour l'aider à se mettre debout. Les deux enfants se regardèrent dans les yeux, silencieux.

— Merci, dit finalement Nessy. Mais toi aussi, tu es blessé, laisse-moi t'aider.

Elle l'effleura de ses mains ; Luis sentit une chaleur le traverser et la douleur disparaître.

— Merci ! lui dit-il à son tour.

Sans que rien ne l'eût laissé présager, ils éclatèrent de rire. Les larmes aux yeux, ils comprirent à ce moment-là qu'ils avaient un point en commun : des dons hors de l'ordinaire qui les aideraient à survivre dans un monde austère.

Lorsqu'ils retournèrent au village – à pied pour laisser Mistral se remettre de sa chute –, c'était déjà l'après-midi ! Pablo était fou d'inquiétude et s'apprêtait à s'emporter contre Nessy quand il vit que les vêtements des deux enfants étaient tachés de sang. Il courut à leur rencontre et embrassa Nessy de toutes ses forces.

— Ne me fais plus jamais cela, lui chuchota-t-il à l'oreille.

— Je m'excuse, papa !

Pablo, se tournant vers Luis, lui demanda si ça allait.

— Oui, monsieur. Les pièges fonctionnent ! déclara-t-il avec sarcasme et un peu de fierté.

— Mon Dieu ! Le sang c'est...

— Celui de Mistral, papa, répondit Nessy timidement.

Pablo scruta la bête du regard, mais ne vit aucune cicatrice.

— Venez prendre un thé, ça va vous remettre de vos émotions ! Nessy, j'ai reçu un appel de Victor après ton départ ce matin. Il est à Manaus. Il n'a pas eu le choix de m'appeler, car il n'avait pas de moyen pour venir jusqu'ici. Heureusement, la motomarine d'Esteban est là-bas...

— Et Christian ? demanda Nessy, anxieuse.

— Il est avec lui. Ce Christian est un ami de ton école, n'est-ce pas ? demanda Pablo en lui faisant un clin d'œil.

— Oui !

— Ils arriveront à la tombée du jour.

Nessy souriait. L'imminence de l'arrivée de Christian la réjouissait.

Ils burent un thé, puis Luis s'excusa pour aller rejoindre Raoul. Il avait hâte de lui raconter l'exploit de leur piège. Une fois Luis parti, Nessy questionna Pablo :

— Dis-moi papa, pourquoi n'arrivais-je qu'à guérir temporairement Christian, tandis que je parviens à effacer des blessures profondes d'un simple toucher ?

— C'est ce que je tentais de t'expliquer, Nessy. Bien que ton don soit supérieur au mien, il te reste quand même à apprendre à l'apprivoiser et à l'utiliser.

— C'est comme quand Esteban m'a montré à contrôler la douleur des gens malades, qui m'accablait près des grandes villes ?

— Peut-être ! Comment a-t-il fait ?

— Il m'a dit de m'y prendre comme pour la méditation.

— Excellent ! La méditation pourra t'aider énormément. Je commencerai tes cours dès demain, d'accord ?

— D'accord ! répondit Nessy en souriant.

Pablo la regarda tendrement et lui dit :

— Nessy, donne-moi une chance ! Je sais que je ne peux pas devenir ton père du jour au lendemain, et que je devrai me faire une place dans ton cœur, mais je crois qu'on y parviendra !

— D'accord ! Mais ne tente plus d'éloigner les gens que j'aime, d'accord ?

— Promis ! répondit Pablo, satisfait.

— Chapitre XVII —

Esteban était arrivé à destination et avait facilement reconnu son contact aux yeux particuliers et à l'accent assez marqué. Il avait dormi profondément dans l'avion et était frais et dispos pour sa nouvelle mission, malgré la blessure suscitée par le différend qu'il avait eu avec Pablo. Esteban était maintenant Manuel Hernandez, jeune étudiant d'Amérique du Sud, issu d'une famille bien nantie qui possédait des actions importantes dans la biogénétique. William lui avait dit qu'il arrivait juste à point, car le soir même de son arrivée le président d'une importante multinationale recevait, à l'occasion de la fête de sa fille, tous les gens importants de la société. William s'était arrangé pour obtenir des invitations et ils s'y rendraient en début de soirée. « Tu pourras t'intégrer et recueillir les informations qui t'intéressent », lui avait-il expliqué.

William vint le chercher à son hôtel à l'heure de la réception. Esteban s'était habillé d'un beau complet. Fraîchement rasé, coiffé et parfumé, il avait fière allure. C'était un bel homme. Son physique d'athlète et son visage angélique avaient de quoi séduire plus d'une femme.

Ils se rendirent au majestueux manoir où se donnait la réception. Esteban était un peu anxieux du rôle qu'il allait devoir jouer, car les bienséances ne faisaient pas partie de son mode de vie, mais il était bon acteur et saurait fort bien tirer son épingle du jeu.

Un majordome les reçut à l'entrée.

— Bienvenue chez les Vondenbirgh, dit-il en prenant leurs pardessus.

Un autre domestique les dirigea vers la salle de réception qui était bondée : des gens connus, des gens riches, des militaires hauts gradés et des politiciens. Esteban, malgré un léger étourdissement, garda un magnifique sourire, atout de taille à sa personnalité. Quelques personnes de son âge avaient été conviées pour la fête ; William lui fit un signe pour attirer son attention sur la jeune femme qui faisait son entrée. Esteban la regarda pénétrer dans la salle avec grâce, répondant de la tête aux salutations qu'on lui offrait au passage. Elle était grande, élégante, dotée d'une beauté classique qu'Esteban n'avait pas l'habitude de côtoyer. Il fut ébloui par cette fille qui se déplaçait dans la foule avec une prestance remarquable. Lorsqu'elle passa près d'eux, William la salua et présenta son jeune ami. Elle regarda Esteban intensément en lui présentant délicatement la main. Esteban lui sourit et lui offrit ses meilleurs vœux d'anniversaire. Alice se perdit dans ses tendres yeux noisette, et lui sourit.

William parut amusé de leur court échange. Monsieur Vondenbirgh vint rejoindre sa fille, l'embrassa tendrement sur la joue, salua amicalement William et tendit la main à Esteban. Ce dernier regarda attentivement l'homme qui le saluait.

Le pire ennemi de la Terre sans mal.

Esteban le salua réciproquement, en contrôlant la rage qui naissait en lui. Vondenbirgh partit avec sa fille pour faire le tour des autres invités.

— Tu as fait mouche, mon beau Manuel, ricana William en tapotant l'épaule d'Esteban.

Un domestique muni d'un plateau chargé de flûtes leur offrit du champagne. Esteban en prit une et la cala d'un coup sec. William fit entendre un rire. Esteban se sentit mieux, résolu à garder en tête la raison de sa présence parmi ces gens.

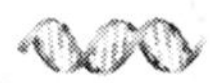

Pendant ce temps, à la Terre sans mal, Victor et Christian arrivaient au village. Pablo avait invité Luis à se joindre à sa fille et à lui pour le repas. Raoul vint les prévenir de l'arrivée des deux voyageurs. Nessy bondit sur ses pieds en entendant la nouvelle.

— Christian ! s'exclama-t-elle et, sans attendre son père, elle se lança à leur rencontre.

Pablo et Luis sortirent de la maison. Curieux, Luis demanda :

— Qui est Christian ?

Pablo sourit et répondit que c'était un ami de Nessy, qu'elle avait connu et fréquenté à son ancienne école. Luis sentit une étrange pression lui monter à la tête. Ils arrivèrent à la hauteur des deux voyageurs juste au moment où Nessy sautait au cou du jeune garçon qui lui avait tant manqué. Luis se sentit un pincement de jalousie – sentiment nouveau pour lui, mais tout de même intense. Pablo ne s'empêcher de remarquer comment Luis s'était raidi devant la scène, car avec sa musculature, toute contraction devenait évidente. Lui posant une main sur l'épaule, il l'incita à venir avec lui les accueillir.

— Bonsoir Pablo ! s'écria Victor en souriant.

— Victor, on se rencontre finalement !

— Oui. Esteban n'est pas là ?

— Non, il est reparti hier !

Pendant ce temps, Christian et Nessy prenaient des nouvelles l'un de l'autre.

— C'est Christian ? demanda Pablo.

— Oui, il s'est bien remis de son opération, déclara Victor.

Christian portait une casquette de revers. Il salua Pablo de la tête. Pablo s'approcha et lui serra la main.

— Bienvenue chez nous. Lui, c'est Luis, il a ton âge. Viens Luis, lui lança Pablo.

Le jeune garçon s'approcha et serra la main de Christian avec force, en le regardant droit dans les yeux, d'un air féroce. Christian eut du mal à dégager sa main endolorie. L'attitude de Luis l'intrigua. Se tournant alors vers Nessy, il lui demanda :

— Mistral est-il arrivé ?

— Oui, répondit Nessy. Tu veux le voir ?

— Oui !

— Viens, dit-elle, en entraînant son ami vers le nouvel endroit où Pablo avait logé le cheval pour qu'il soit à l'intérieur du village. Puis, se retournant, elle lança à Luis :

— Tu viens ?

Luis courut les rejoindre.

Pablo invita Victor à prendre un thé chez Nessy, qui était aussi son autre chez lui. Ils s'assirent sur le perron.

— Vous n'avez pas eu de complications en chemin ?

— Non, juste un drôle d'incident à Manaus.

Pablo se raidit en pensant à l'incident d'Esteban avec Pedro.

— Rien de grave ?

— Non. Juste un hurluberlu qui s'est mis à crier malédiction en pointant Christian du doigt. Moi qui voulais passer inaperçu avec un enfant, c'était loupé ! ricana-t-il.

— Étrange !

— Je me suis dit que c'était à cause de la tête rasée de Christian et de sa cicatrice particulière sur le front. C'est pour cela que je lui ai passé une casquette. J'ai dû aussi lui réinsérer un code dans le poignet pour qu'il puisse prendre l'avion.

— Bien. Nessy semble l'aimer beaucoup.

— Oui, ils sont de bons amis. Christian s'est fait beaucoup de souci pour elle. C'est un brillant jeune garçon, ce Christian !

Les enfants réapparurent devant la maison, parlant et riant ensemble. Pablo était content de voir que Nessy semblait heureuse, il avait eu peur qu'elle lui en veuille longtemps pour Esteban. Pour l'instant, il semblait oublier tout ce que l'accomplissement de son destin impliquait ; il voulait simplement apprivoiser le sentiment d'amour que la présence de sa fille éveillait en lui.

— Tu es contente que ton ami soit parmi nous ? lui lança-t-il en souriant.

— Oh oui, père ! J'étais tellement inquiète.

— Ton opération s'est bien passée, Christian ?

— Oui, monsieur, et j'ai hâte que mes cheveux repoussent. La cicatrice se verra toujours, mais je ne me fais pas de souci pour cela.

— Je peux voir ? lui demanda Pablo, curieux.

Christian retira sa casquette, laissant apparaître sa tête parsemée de petits poils courts qui repoussaient à peine et, au beau milieu de son front, un énorme V avec la pointe centrée entre les deux yeux. Pablo, pétrifié, échappa sa tasse de thé par terre. Victor sursauta à ses côtés et vit l'expression de peur qui se lisait sur le visage de Pablo.

— Pablo ?

Nessy regarda la cicatrice de son ami et dit :

— Ce n'est pas si pire que ça ! C'est un V.

Pablo se reprit et s'excusa de sa maladresse en ramassant les dégâts. Victor resta songeur. Christian, gêné, remit sa casquette. Pablo ne s'expliqua pas, manifestement incommodé par l'événement. Il changea de sujet assez brusquement, invitant les deux voyageurs à manger, bien qu'eux-mêmes aient déjà terminé leur repas. Christian et Victor acceptèrent de bon gré, car ils avaient navigué en motomarine toute la journée, pressés de se rendre à la Terre sans mal.

Après le repas, Pablo trouva un endroit pour Christian et Victor, où ils pourraient loger le temps qui leur plairait.

Esteban n'eut pas beaucoup de difficulté à s'intégrer au cercle intime des Vondenbirgh, car Alice ne dissimula point son attraction envers ce beau jeune homme sud-américain. Elle le dévisageait sans retenue et riait démesurément à ses propos. Esteban, plutôt timide, ne repoussa pas ses avances. Sa mission – obtenir des informations secrètes au sujet de l'invasion projetée de la Terre sans mal – se verrait grandement simplifiée s'il gagnait le cœur de la fille... de l'homme qui serait aux commandes des opérations !

À la table personnelle des Vondenbirgh, où Esteban eut le privilège de s'asseoir aux côtés de la belle Alice, il y avait, en plus du père de la jeune fille, un général et un politicien qu'Esteban ne connaissait pas. La discussion ne tarda pas à s'orienter sur les rebellions qui se préparaient un peu partout dans le monde. Esteban écoutait attentivement la conversation sans s'y mêler. Jusqu'à ce que monsieur Vondenbirgh le questionne sur le sujet.

— Et vous, monsieur Hernandez ? Que pensez-vous de la situation ? Comment ça se passe par chez vous ?

Esteban contrôla sa nervosité et répondit en pesant chacune de ses paroles.

— La situation est bien tendue aussi en Amérique du Sud. À l'université, il y a des gens qui se font solliciter par des rebelles. Les autorités tentent de contrôler les mouvements, mais il y a beaucoup de gens inquiets, répondit Esteban.

— Il paraît que les camps rebelles de là-bas sont beaucoup plus nombreux qu'ici sur le continent nord-américain. Je me trompe ? demanda le politicien.

— Je ne connais pas la situation d'ici, répondit Esteban, restant sur ses gardes.

— Moi, je crois qu'il est grand temps que les armées prennent la situation en main, déclara le général.

Esteban n'osa pas le regarder dans les yeux. Alice, elle, semblait envoûtée par son unique présence. En fait, le thème des rebelles l'ennuyait fortement. Elle en avait discuté avec son père et elle était du même avis, mais ce soir elle voulait s'amuser. C'était sa fête, et l'arrivée d'Esteban dans son décor la réjouissait. Esteban répondait poliment à ses sourires.

— Bon ! De toute façon, ce soir c'est la soirée de ma fille, annonça soudainement Vondenbirgh, et je doute qu'elle souhaite s'attarder sur des sujets comme la guerre, ajouta-t-il en souriant aux deux jeunes gens. Elle trouvera plus d'agrément, j'en suis certain, dans la danse qui suivra le repas.

— Moi, je suis un peu vieux pour cela, déclara en ricanant le politicien.

Esteban resta silencieux. Il aurait préféré, pour sa part, que le groupe s'attarde davantage sur le sujet des rebelles.

Un repas majestueux leur fut servi, et le sujet ne revint plus sur la table.

Après le repas, Alice entraîna Esteban sur le plancher de danse, l'accaparant pour le reste de la soirée.

— Chapitre XVIII —

Le général reçut sa fausse permission pour sortir Julia, indiquant qu'elle serait soignée dans un hôpital de l'armée, à la demande expresse de monsieur Édouard Names. Après avoir récupéré le dossier complet de Julia, ils quittèrent la clinique en début de soirée.

Ce n'est que lorsque Julia lui demanda s'ils iraient chez elle pour voir sa fille que le général Rivers lui déclara :

— J'ai une très mauvaise nouvelle, madame Names.

— Qu'y a-t-il ? l'interrogea Julia, anxieuse.

— Votre fille a été kidnappée, il y a environ trois semaines.

— Quoi ? Non !

Julia se mit à pleurer, désespérée. Elle avait de la difficulté à respirer. Elle se mit à tousser violemment.

— Calmez-vous, je vous en prie. Votre santé est précaire. Nous avons besoin de votre aide. Nous allons vous transporter dans une clinique militaire, pour vous garder hors de danger. Mais vous devez nous fournir tout renseignement susceptible de nous aider à la retrouver.

— Ma mémoire est très floue, je ne me souviens même pas de la dernière fois que je l'ai vue. Comment est-ce arrivé ?

— Votre fille fréquentait une école. C'est un rebelle de l'Amérique du Sud qui l'a enlevée en pleine nuit !

— Oh mon Dieu ! Et que lui veulent les rebelles ?

— Nous l'ignorons. Peut-être pouvez-vous nous éclairer là-dessus ?

— Que fait mon père dans tout ça ?

— Il est parti à Manaus chercher des pistes.

— Manaus ?

— Il semble croire que les rebelles de là-bas en voudraient à votre fille, ou à vous, ou même à lui.

— Une rançon ? Ont-ils exigé une rançon ?

— Pas encore.

— Croyez-vous qu'elle... un nœud empêcha Julia de finir sa phrase.

— Non, je ne crois pas. Mais je ferai tout ce qui est en mon pouvoir pour attraper les coupables et les punir.

— Je vous en remercie, dit-elle en pleurant.

Le général lui offrir un mouchoir qu'elle accepta. Il était assez content du tissu de mensonges qu'il venait de lui présenter. Elle mordait parfaitement à l'hameçon.

— Dites-moi, madame, que pouvez-vous me dire du père de l'enfant ?

— Pas grand-chose. C'est comme je vous disais, ma mémoire est floue. Je croyais qu'il était mort, mais je n'en suis pas certaine.

— Il venait d'où ?

— Je crois bien que c'était du sud. Probablement de Manaus.

— Serait-il possible qu'il soit pour quelque chose dans l'enlèvement ?

— Je ne sais pas, répondit-elle, découragée. Elle se sentait tellement confuse et toutes ces questions l'étourdissaient. Elle ferma les yeux, fatiguée et peinée.

— Nous serons bientôt à la clinique, vous pourrez vous reposer.

— Merci, mon général !

— C'est tout à fait naturel, ma chère, répondit le général, débordant de fausse courtoisie.

Ils arrivèrent à l'hôpital hautement sécurisé. La voiture pénétra dans la zone clôturée après avoir passé les contrôles des gardes et entra dans un garage souterrain. Des infirmières militaires attendaient l'arrivée de madame Names. Le général s'excusa auprès de Julia et alla rejoindre le médecin qui serait chargé de la traiter.

— Bonsoir, mon général, lui dit ce dernier en faisant le salut d'usage.

— Bonjour sergent ! Voici le dossier de la patiente. Elle souffre d'amnésie, en plus de sa tuberculose. Malheureusement, elle détient dans sa mémoire des informations qui me sont précieuses. Pourrez-vous y faire quelque chose ?

— Oui, mon général ! Nous possédons plusieurs médicaments qui pourraient l'aider à retrouver la mémoire et à la faire parler.

— Excellent ! Je vais juste vous mettre au courant de ce qu'elle croit faire ici. Je veux aussi qu'elle soit sous haute surveillance, les rebelles pourraient vouloir l'enlever ou la tuer.

— Oui, mon général.

— Tenez-moi au courant ! Le temps presse, sergent, alors je veux des résultats concluants et vite.

Le sergent salua son supérieur.

— Rompez, sergent ! répondit le général, et il partit.

Édouard descendit de l'avion qu'il avait pris à Manaus. Martin lui avait remis le colis de Pablo, avec les directives de ce dernier quant à la façon de l'administrer à une patiente dans le coma. Édouard lui avait en retour procuré des armes de fine pointe qui devaient déjà être en chemin vers Manaus à l'heure qu'il était.

Il arriva chez lui en soirée, pour apprendre que sa fille était mystérieusement sortie de son coma pendant son absence. Juanita lui fit savoir que la clinique attendait impatiemment son retour, car Julia semblait fort confuse. Sous le choc, il remercia Dieu de ce sursis inattendu. C'était bien plus que ce qu'il pouvait espérer des herbes qu'il ramenait dans ses bagages ! Sans attendre une minute, il téléphona à la clinique.

— Bonsoir, Édouard Names à l'appareil.

— Bonsoir ! Vous êtes de retour ?

— Oui. Comment va ma fille ?

— Le général Rivers nous a demandé de vous dire qu'il avait agi conformément à votre volonté, que madame Names est entre bonnes mains à l'hôpital militaire, et qu'il attend de vos nouvelles.

Le choc fut violent. Frappé de plein fouet par cette déclaration, Édouard était sans voix.

— Monsieur Names ?

Il entendait le son de sa voix, mais son cœur avait pris les commandes de son cerveau. Le général avait cruellement mis fin à tous ses espoirs de sauver sa fille et récupérer sa petite-fille. Il raccrocha finalement le combiné sans répondre.

Juanita, passant par le salon où il était figé comme une statue, l'interpella :

— Monsieur Names ? Ça va ?

Le choc finit par laisser place à un premier sentiment, la colère. Il arracha le téléphone de sa base et le lança violemment contre le mur en criant :

— Ce salaud, je le tuerai !

Juanita, terrorisée, poursuivit son chemin, préférant ne pas déranger son maître en pleine colère. Édouard, reprenant son calme et redevenant maître de sa tête, se mit à réfléchir à la façon dont il allait affronter cette épreuve, tentant de trouver une façon de reprendre la situation en main.

Le général Rivers avait obtenu toutes les informations qu'il désirait. Il savait maintenant que la jeune fille au gène miraculeux s'appelait Nessy, que son père s'appelait Pablo Ortiz et qu'il habitait entre Manaus et Iquitos. En regardant une carte de la région, il constata avec son sergent qu'il s'agissait de la zone hors brevet protégée.

— Mais bien sûr ! C'est là qu'elle se trouve sans aucun doute ! S'ils croient pouvoir la garder là-bas, ils se trompent ! s'exclama-t-il, furieux. Ce ne sera pas aussi simple que je le pensais, mais j'y arriverai, se promit-il.

Julia, de son côté, seule dans sa chambre, venait de subir une terrible épreuve. Les médicaments qui avaient permis de retrouver les souvenirs enfouis dans son subconscient avaient mis en lumière les mensonges de son père. Pablo n'était pas mort en voiture, elle l'avait tout simplement quitté en pleine nuit, lorsqu'elle avait entendu des chiens les chercher. Et depuis, son père l'avait manipulée pendant des années. Il en avait fait de même avec Nessy.

— Tu me les as volés, chuchota-t-elle comme s'il était devant elle. Elle rageait.

Elle tentait de comprendre pourquoi son père avait fait des choses aussi atroces. Puis, elle se mit à penser à Pablo. Qu'était-il devenu ? Elle se rappela le doux souvenir du bien-être qu'elle ressentait à ses côtés, combien il était attentionné et aimable. Puis, elle s'interrogea sur l'enlèvement de Nessy. Pablo ne pouvait pas être responsable d'un tel geste. Si elle voulait bien croire que son père était manipulateur – elle s'était toujours sentie prisonnière de son autorité –, il en allait tout autrement de Pablo. Il n'était pas de cette espèce. Les rebelles, elle avait toujours été en accord avec leurs idées. Elle détestait le monde que son père voulait la forcer à adopter. C'était pour cela qu'elle s'était enfuie chez Pablo. Des manipulations génétiques, des enfants produits ? Non, elle n'avait jamais été en accord avec ces barbarismes.

Le général interrompit ses pensées en entrant dans sa chambre.

— Comment allez-vous, ma chère ? lui demanda-t-il sur un ton doucereux.

Julia le foudroya du regard, prête à le mordre, au besoin. Le général eut un léger frisson devant le regard glacial de cette jolie jeune femme.

— Je veux partir ! déclara Julia.

— Pardon ? Mais c'est impossible, vous êtes malade. Vous recevrez de meilleurs soins ici qu'ailleurs.

— Mais si je refuse vos soins, vous devez me laisser partir, n'est-ce pas ?

— Pourquoi voulez-vous partir subitement ?

— Je veux retrouver ma fille !

— C'est ce que nous tentons de faire, madame Names. Et grâce à vos informations, nous nous rapprochons du but.

— Je n'y crois pas à votre histoire de rebelles. Je veux partir. J'ai des choses à régler avec mon père.

— Oh, ne vous en faites pas, il ne tardera pas à venir, madame.

Julia scruta son regard, elle le trouvait mesquin.

— Êtes-vous en train de me dire que je ne peux pas partir ?

— Oui, en effet ! Vous êtes, en quelque sorte obligée de rester.

— En vertu de quelle autorité ?

— De l'autorité militaire, madame, répondit le général qui perdait de sa courtoisie et reprenait son ton autoritaire.

— Je suis prisonnière pour quel crime ?

— Dois-je vous fournir une liste ? Vous avez conçu un enfant illégalement, vous l'avez caché, puis vous l'avez intégré dans une école privée appartenant à la Défense nationale.

— D'accord pour les deux premiers points, mais je n'ai rien à voir avec le troisième. Je n'aurais jamais envoyé ma fille dans une école de ce genre.

— En effet, vous n'êtes pas responsable du troisième crime. Il est l'œuvre de votre père.

— Et si je ne me trompe, les deux premiers ne concernent en rien l'armée, ?

— C'est juste, mais votre présence ici nous permettra d'attraper le coupable du crime qui nous concerne !

— Je suis un appât ?

— Tout à fait, lui répondit le général en souriant avec malice.

— Vous êtes dégoûtant ! Et ma fille dans tout cela ?

— Vous n'avez plus de fille, madame Names. Elle est propriété d'Utopgen, et, du fait même, propriété militaire.

— Pourquoi vous intéresse-t-elle autant ?

— Elle a un don fort particulier. Mais ne vous en faites pas, madame. Lorsque nous la récupérerons, vous serez libre, car comme je viens de vous le dire, aux yeux de la loi, vous n'avez pas de fille. Elle restera notre propriété et vous ne pourrez pas la réclamer.

— Monstre ! s'exclama Julia en lui sautant dessus.

Le général la maîtrisa en une demi-seconde, lui tenant les bras serrés derrière elle et lui soufflant dans le cou perversement.

— Vous direz cela à votre père, ma jolie ! Maintenant, calmez-vous et on ne vous fera aucun mal, entendu ?

Julia fut prise d'un haut-le-cœur sous la poigne de cet

homme odieux. Elle soupira, désespérée, et murmura qu'elle ne recommencerait pas.

— Bien ! Maintenant, il est tard. Vous feriez mieux de dormir, dit-il en la relâchant.

Elle se laissa tomber sur son lit en pleurant amèrement. Elle était furieuse contre son père et découragée de la tournure des événements.

Et dire qu'elle les avait aidés en leur fournissant des informations sur Pablo !

Pourvu seulement que Nessy se trouvât actuellement à ses côtés, en sécurité.

Le général quitta la pièce et Julia finit par s'endormir.

Entre deux pleurs.

— CHAPITRE XIX —

Nessy mangeait distraitement, assise devant Maria, toujours respectueuse de son silence. Elle avait encore rêvé de sa mère et tentait tant bien que mal de comprendre la signification de ce dernier rêve. Esteban était tellement doué pour les interpréter, mais il était loin, elle le sentait bien. Christian la sortit de sa rêverie en cognant à la porte d'entrée. Maria le fit entrer.

— Bonjour Nessy ! s'exclama-t-il, radieux.

Nessy lui sourit et l'invita à s'asseoir. Maria voulut préparer des rôties au garçon, mais ce dernier lui fit comprendre qu'il avait amplement mangé avec Victor.

— Nous allons à l'école aujourd'hui ? demanda Christian, tout excité.

— Oui ! J'ai bien hâte de voir ça ! Nous passerons chercher Luis quand j'aurai fini de manger, d'accord ?

— D'accord. Il a l'air étrange ce garçon, tu ne trouves pas ?

— Non, pas du tout. Il est très gentil. Tu verras, vous serez de bons amis.

— Il est fort en tout cas !

— Et toi, tu es intelligent !

— Tu as raison, chacun sa force. Et toi, comment ça va avec ton don ?

— Ça va ! Mon père va m'enseigner des trucs pour contrôler les effets secondaires un peu dérangeants qui se sont développés dans le dernier mois.

— Est-ce qu'il est gentil, Pablo ?

— Oui ! Un peu surprotecteur, dit Nessy en souriant.

— Il m'a fait une drôle d'impression hier lorsqu'il a vu ma cicatrice.

Nessy avait terminé son repas. Ils partirent chercher Luis, qui parut content de n'être pas laissé de côté. Ils se rendirent à leur nouvelle école, une toute petite institution de village qui ne comptait qu'une trentaine d'enfants de tous âges. Une jeune femme les reçut à l'entrée. Elle leur expliqua qu'ils auraient quelques questionnaires à remplir, afin qu'on puisse mieux cibler leurs connaissances et les diriger vers les bons cours.

— Pablo m'a déjà indiqué les grandes lignes de vos personnalités, déclara la jeune femme en regardant les trois enfants.

Elle passa donc à chacun un questionnaire différent. Lorsqu'ils eurent fini, elle les envoya voir le spécialiste d'éducation physique pour qu'ils passent un examen de santé et de forme physique. Les enfants étaient intrigués de connaître les résultats de tous ces examens.

L'examen physique de Nessy et Christian ne révéla aucune anomalie, mais celui de Luis mit en évidence la force surhumaine que laissait prévoir sa physionomie musclée. Il subit donc une prise de sang. On y décela le gène de l'endurance, mais aussi une prédisposition à la colère. Pourtant, il avait été très doux et très calme, depuis son arrivée.

Pour ce qui est des résultats aux questionnaires, ceux de Nessy et Christian furent nettement supérieurs à la moyenne, en raison de leur fréquentation d'une école de futurs médecins, biogénéticiens et informaticiens. Ceux de Luis étaient dans la moyenne, sa mère lui ayant appris les notions traditionnelles.

Pablo vint les voir à l'école en fin d'avant-midi pour leur parler de leurs résultats. Il préféra les voir un à un pour éviter que les traits de personnalité différents exposés par les résultats ne fassent naître des conflits entre eux. Il commença par Luis. Il lui expliqua que ses résultats étaient très concluants.

— Ta force et ton endurance te viennent d'un gène qu'on nomme ACE, lui expliqua Pablo. Sauf qu'il n'est pas sous une forme simple. Il est, comme on pourrait dire, altéré. Ce qui en fait un tout nouveau gène qui te donne cette incroyable force. Mais le problème, c'est que ce gène évolutif semble pouvoir jouer un rôle sur ton humeur. Il peut provoquer, de la même façon qu'il projette ta force à un niveau élevé, des excès de colère, de rage, de jalousie.

Luis l'écoutait attentivement, se rappelant la rage qu'il avait dû contrôler en voyant Nessy dans les bras de Christian. Pablo le regarda gentiment et continua :

— Ne t'en fais pas, Luis, car c'est pour des raisons de ce genre que nous faisons passer des tests personnalisés à chacun. Nous savons que la nature nous fait uniques et que chaque individu a des besoins personnels et différents. Tu vas donc avoir des cours d'éducation physique qui vont permettre à ton corps de se nourrir de l'énergie dont il a besoin pour le moment. Et tu suivras aussi des cours de psychologie qui t'apprendront à comprendre et déceler les sentiments qui peuvent désamorcer des crises d'humeur non voulues. Ça te va ?

— Oui, Pablo. Et Nessy, elle ?

— Elle te plaît bien, ma fille ?

Luis rougit jusqu'à la moelle. Pablo avait le don d'être direct.

— À cette école, chacun suit les cours qui correspondent à sa personnalité et à ses capacités. Vous vous verrez dans vos temps libres, si c'était là ton inquiétude.

— D'accord. Merci Pablo.

Après Luis, ce fut au tour de Christian. Il se sentait gêné devant le père de son amie. Sa réaction de la veille, au vu de sa cicatrice, l'avait mis mal à l'aise. Pablo aussi était inquiet, car Christian avait un destin particulier, comme Nessy. Il lui avait été impossible la veille, en voyant la marque sur son front, de ne pas faire un lien avec toutes les modifications que la Pachamama effectuait. Ainsi, le *pachakuti* n'aurait pas lieu par la seule présence de Nessy : quelqu'un devait brusquer l'équilibre pour que l'avènement se produise, et que Nessy puisse accomplir son destin tel qu'il lui était dicté. Ce quelqu'un était Christian, Pablo ne pouvait plus le nier. Le garçon portait sur son front une marque significative.

Pablo aurait de tout son coeur voulu retenir ou changer le destin de sa fille. Pourtant, sans le savoir, lorsqu'il l'avait fait sauver le garçon de la mort par l'intermédiaire de ses voyages astraux, sous forme de dauphin, il avait plutôt mené Nessy vers son accomplissement. Ce qu'il trouvait le plus douloureux, était que sa fille se soit attachée à ce garçon, qui porterait un jour, en déséquilibrant la planète entière, un obscur fardeau. Mais cela, il ne pouvait lui dire, car elle lui avait fait promettre de ne plus éloigner ceux qu'elle aimait. Même si le garçon n'y était pas pour grand-chose – la Pachamama imposait sa loi plus que l'on ne pourrait croire –, Pablo n'arrivait pas à mettre ce qu'il savait de côté pour s'adresser au garçon innocent qui se trouvait devant lui.

— Évidemment, tu sais que tes résultats démontrent ton intelligence supérieure, commença Pablo sur un ton légèrement agressif.

Christian se sentit tout petit devant l'homme qui semblait le juger.

— Ça m'a déjà coûté une opération au cerveau, se défendit-il néanmoins.

Pablo comprit qu'il n'avait pas réussi à dissimuler son sentiment de réticence envers le garçon, et il se reprit en faisant plus d'efforts.

— Bon, au moins tu ne perdras pas de temps avec des cours trop faciles pour toi. Je veux que tu apprennes l'espagnol ; Nessy aussi l'apprendra. L'autre matière dont tu dois être instruit est la biologie naturelle, qui est bien loin de tout ce que vous avez appris à votre ancienne école. Or, il est important que vous appreniez ce que la nature possède et fait mieux que nous.

— Comme des enfants ?

— Entre autres. Mais je parle aussi de la flore, la faune, la nourriture et tout ce qui fait vivre notre planète.

— Je suis certain que ce sera un cours qui me plaira beaucoup, déclara Christian en souriant.

— Bien !

Pablo se sentit soulagé de réussir à lui parler sans lui en vouloir... pour un geste qu'il n'avait pas encore commis. Il l'envoya, comme Luis auparavant, préparer un horaire personnalisé avec la directrice.

Ce fut finalement au tour de Nessy. Elle était plus curieuse de ce qu'il avait dit à ses deux amis que de ce qu'il lui dirait d'elle.

— Voilà ! C'est à ton tour.

— Comment ça a été pour Luis et Christian ?

— Fort bien ! Ils suivront chacun des cours adaptés à leurs besoins. Le seul cours que vous aurez en commun sera celui de biologie naturelle. Puis, Christian et toi aurez de l'espagnol ensemble. Maintenant, toi, comme nous en avions parlé, tu devras faire de la méditation et tu viendras à l'hôpital pour m'aider avec les patients. Il te faudra être discrète, car ton don n'est pas à prendre à la légère, et les bavardages peuvent aller loin et vite. Je veux aussi t'enseigner la culture de mon père, car un jour tu pourrais être appelée à me succéder comme chaman, si tu l'acceptes.

— D'accord ! répondit Nessy, enthousiasmée.

— Tu vas voir, tu te plairas à l'école.

— Est-ce qu'on y enseigne l'art ?

— Oui ! Tu voudrais en faire ?

— Oui ! J'adore dessiner et peindre, ça me fait énormément de bien, surtout quand je suis triste ou que j'ai beaucoup de cauchemars.

— Est-ce le cas en ce moment ?

Nessy baissa les yeux, ne voulant pas répondre qu'elle s'ennuyait beaucoup d'Esteban, et que sa mère l'inquiétait également. Pablo sentit sa gêne et n'insista pas, lui disant simplement qu'elle pourrait peindre et dessiner à son gré.

Nessy le remercia.

Esteban se réveilla avant l'aube, dans sa chambre d'hôtel. La tête lui tournait encore. Il n'avait pas l'habitude de prendre beaucoup d'alcool, mais surtout Alice ne l'avait pas quitté de la soirée. Elle n'avait pas cessé de lui vanter ses exploits académiques et son futur prometteur.

La jeune fille l'avait saoulé autant que l'alcool.

Il était satisfait d'avoir pu, au premier contact, aborder monsieur Vondenbirgh. Maintenant, il lui fallait gagner sa confiance, pour être mis au courant des intentions de sa compagnie et de son armée au sujet de la Terre sans mal. Si seulement Vondenbirgh était aussi facile à séduire que sa fille, songea-t-il amusé. Il avait déjà un rendez-vous avec elle plus tard dans la journée, car elle avait insisté pour qu'il l'accompagne avec son père pour visiter sa future université.

Il s'y rendit, plein d'assurance. Toutefois, la jeune femme le déboussola en le recevant avec un long baiser. Monsieur Vondenbirgh le salua, amusé, et ils partirent tous trois pour l'université. Dans la limousine, Vondenbirgh questionna Esteban au sujet de l'université qu'il fréquentait dans son pays. Le rebelle, qui avait pris le temps dans la journée de bien étudier sa fausse identité, répondit sans difficulté aux questions. Puis, Vondenbirgh lui annonça qu'ils devaient, sa fille et lui, se rendre à une réunion importante dans quelques semaines à Manaus. Alice en profita pour insister auprès de son père pour qu'Esteban les accompagne.

— Nous verrons, Alice. Monsieur Hernandez doit nous montrer qu'il est de bonne foi, lui dit-il en souriant, non sans poser un regard lourd de sens sur le jeune homme.

Ils visitèrent la prestigieuse université, puis allèrent manger dans l'un des restaurants les plus renommés de la ville, La Cigale. En se dirigeant vers une table, Vondenbirgh reconnut un vieil ami qui mangeait en compagnie d'un politicien.

— Général Rivers, bien le bonjour ! Et monsieur Édouard Names, ex-ministre de la Santé, quelle belle rencontre ! Comment allez-vous, messieurs ?

En entendant le nom de Names, Esteban s'immobilisa et regarda l'ancien ministre droit dans les yeux. Édouard trouva cette attitude étrange, mais n'était pas d'humeur à bavarder.

— Bien, merci, monsieur Vondenbirgh, répondit le général.

Édouard hocha simplement la tête en guise de salutation.

— Je ne vous ai pas vus hier à ma réception, messieurs. Je la donnais en l'honneur de ma fille, que je vous présente : Alice Vondenbirgh.

Alice les salua et s'exclama :

— Je les connais, père ! Ils sont venus à mon école !

Les deux hommes reconnurent la fille qui avait été guérie par Nessy, et échangèrent un regard mystérieux.

— Ah ! s'exclama Vondenbirgh.

Esteban assistait à l'échange, intrigué.

— En effet, dit le général. D'ailleurs j'aurais besoin de vous parler plus tard à ce sujet, monsieur Vondenbirgh.

Alice grimaça. Elle ne voulait pas que son père apprenne l'existence de Nessy, car elle redoutait que grâce à son don, celle-ci puisse le guérir. Le trio alla s'asseoir, laissant Édouard et le général reprendre leur discussion.

— Je disais donc, monsieur Names, que vous êtes dans de beaux draps !

— Vous n'êtes pas vraiment un franc joueur, mon général !

— Peut-être, mais mes motivations sont pour le futur de notre nation.

— Foutaises ! Si au moins, vous le faisiez pour sauver les enfants malades.

— Les faibles n'ont pas de place dans le monde que nous bâtissons. Biologie naturelle ou biogénétique, ça ne change rien au fait que seuls les plus forts survivent ! Maintenant, donnez-moi l'enfant et je vous redonne votre fille. Et, si vous coopérez ainsi, je laisserai la fille guérir sa mère. Ce n'est pas juste, ça ?

— Mais je n'ai pas la fillette, général Rivers !

— Elle est donc déjà dans la zone hors brevet. J'imagine que Pablo Ortiz n'a pas été coopératif avec l'ex-beau-père qui lui a volé sa dulcinée ?

Édouard sursauta. Avait-il vraiment dit Ortiz ? Serait-il parent avec Martin le guerrier ? Que de confusion planait dans sa tête.

— Alors ça complique bien des choses, mon cher Édouard. À moins que vous ne disiez que vous êtes en mesure de retourner la situation, nous serons dans l'obligation d'envahir la zone. Et je connais une milice assez puissante pour le faire, déclara-t-il en tournant la tête vers la table de Vondenbirgh. Mais dans ce cas-là, je ne vous devrai rien !

— Donnez-moi du temps, général.

— Je n'en ai pas !

— Si je ne m'abuse, monsieur Vondenbirgh n'est pas très équitable dans ses échanges commerciaux, n'est-ce pas ? À mon avis, ce ne serait pas comme si vous possédiez à vous seul le gène Boto.

— En effet. Je peux vous accorder une semaine ! Tirez toutes les cordes que vous pourrez, car je ne vous donnerai pas un jour de plus.

— D'accord ! Puis-je voir Julia ?

— Elle a retrouvé la mémoire, vous savez ? Elle vous en veut à mourir.

Édouard ferma les yeux, le cœur mutilé par cette annonce.

— Mais vous pourrez la voir, pas seul toutefois.

— Je vais attendre un peu.

Édouard se leva.

— Vous ne mangez pas avec moi ?

— J'ai perdu l'appétit !

— Sept jours, monsieur Names !

— Oui, j'ai compris !

Édouard partit, accablé par cette nouvelle tâche à accomplir.

Le général resta seul, songeur. Alice, qui était allée aux toilettes, s'arrêta à sa table.

— Puis-je vous parler deux minutes, général.

— Bien sûr, madame.

— Avez-vous trouvé la jeune fille et le garçon ?

— Non ! Votre père est-il au courant ?

— Pas du tout ! Et à vrai dire, je voudrais que ça reste ainsi, comme c'était votre intention, je crois, avant que vous ne sachiez que j'étais sa fille.

— Personne n'a été mis au courant ! Mais c'est vrai que j'ignorais que vous étiez une future Vondenbirgh. En l'apprenant tout à l'heure, je me suis dit qu'il valait mieux que je lui en glisse un mot, car il n'apprécierait pas l'entendre de votre bouche.

— Il ne l'apprendra pas de ma bouche. Vous pouvez garder votre secret.

— Si vous me le permettez, madame, puis-je demander pourquoi ?

— J'ai mes raisons et vous les vôtres. Je compte sur vous et je sens que nous ferons affaire ensemble à l'avenir.

— Vous êtes prête à prendre les rênes, semble-t-il.

— En effet ! À la prochaine, mon général !

Alice retourna à sa table. Esteban avait remarqué l'échange entre la jeune femme et le militaire. Monsieur Vondenbirgh, lui, n'avait rien vu, faisant dos au général assis plus loin.

— De quoi parliez-vous ? demanda Alice en prenant place à la table.

— Mais de toi, ma chère, répondit son père avec un tendre sourire. Je le mettais en garde contre ton talent à toujours obtenir tout ce que tu désires.

Esteban sourit, Alice avait rougi.

— Je ne crois pas que je doive être sur mes gardes, déclara Esteban pour la mettre à l'aise.

— Tu es gentil, Manuel, dit-elle en le prenant par le bras. Je ne mords pas encore ! lui chuchota-t-elle.

Son père et elle échangèrent un regard mystérieux.

Ils finirent leur repas, puis Vondenbirgh s'excusa, car le travail l'appelait. Alice lui fit part de son intention d'aller faire des courses avec Manuel.

— D'accord, lui dit-il, j'enverrai la limousine vous chercher quand vous aurez fini.

Puis, il se leva et les laissa seuls à la table. En sortant, il croisa le général dans le hall d'entrée du restaurant.

— Monsieur Names est parti ?

— Oui, monsieur Vondenbirgh. Avez-vous un peu de temps à m'accorder ?

— Oui ! Passons au salon du restaurant.

— D'accord.

Ils prirent place dans de luxueux fauteuils de cuir autour d'un foyer éteint.

— Que puis-je faire pour vous, mon général ?

— Je voudrais confirmer une rumeur avec vous. Il semblerait que vous prépariez, avec quelques dirigeants, une certaine opération militaire ?

— Vous avez de bonnes sources ! Tout est très spéculatif pour l'instant. Je me rends à Manaus, d'ici une semaine ou deux, ça vous intéresse ? Nous pesons encore le pour et le contre, car nous n'avons pas de raison légale de le faire.

— Alors pourquoi avez-vous cette intention ?

— Il se trouve des gènes intéressants dans ce petit lopin de terre, mon général. Des gènes qui pourraient être miraculeux, voyez-vous ?

— Oui, je vois ! Mais avez-vous des données concrètes ?

— Non ! Mais au point où nous en sommes, des ouï-dire pourraient suffire. Ça, c'est mon opinion, car les autres dirigeants sont plus réservés. Ils n'ont pas l'urgence que j'ai.

— Toujours malade ?

— Oui !

Le général devint songeur. La demande d'Alice se clarifia soudainement dans sa tête. Il eut un sourire démoniaque. Vondenbirgh ne sut comment interpréter cette attitude.

— Ça vous fait sourire, mon général ?

— En fait, j'aurais quelque chose d'intéressant pour vous, dans une semaine. Je vous contacterai de nouveau à ce moment-là, d'accord ?

— Si vous le dites. Et si ma proposition vous intéresse, vous pourrez nous accompagner à Manaus. J'ai bien l'intention d'avoir les meilleures informations sur la zone hors brevet d'ici là, ajouta-t-il en souriant.

— D'accord, monsieur Vondenbirgh !

Les deux hommes se serrèrent la main et se quittèrent.

Pendant ce temps, dans le restaurant, Esteban interrogeait Alice.

— Tu connaissais ces deux hommes que ton père a salués ?

— Oui ! Ils sont venus à mon école avant que je ne la quitte. Il y avait eu un incident.

— Quel genre d'incident ?

— Rien d'important ! Des enfants malades, tout simplement.

Esteban vit qu'il n'en saurait pas plus de ce côté.

— Et de quoi discutais-tu avec le général ?

— Tu es curieux, Manuel.

— Je veux juste savoir si je peux t'aider en quelque chose.

— C'est bien aimable, mais j'ai les choses bien en main, merci !

Esteban n'avait pas beaucoup de jeu. Cette fille était bien sûre d'elle.

— D'accord. Veux-tu toujours que je vous accompagne à Manaus ? demanda-t-il en feignant d'être offusqué.

— Oh oui, Manuel ! Excuse-moi ! Je ne veux juste pas t'embêter avec mes histoires. Viens, allons faire des emplettes.

Esteban dût retenir une grimace et acquiesça. Ils quittèrent le restaurant et empruntèrent une passerelle vitrée qui menait directement dans un énorme et luxueux centre commercial, avec vue sur la ville, d'affreux édifices gris lugubres à perte de vue. Ils s'y rendirent sans mettre les pieds dehors. En marchant, Esteban tenta d'obtenir plus d'information.

— Sais-tu ce que vous allez faire à Manaus ? C'est une réunion à quel sujet ?

— Au sujet des tensions mondiales, répondit-elle vaguement.

Esteban se demanda si elle n'était pas sur ses gardes. Pourtant, elle semblait tomber amoureuse de lui, songea-t-il.

— Les rebelles ? demanda-t-il naïvement.

— En quelque sorte.

— Que penses-tu de tout cela, toi ?

Elle se tourna vers lui en s'arrêtant de marcher.

— À vrai dire, ils m'intriguent, ces rebelles.

Esteban resta bouche bée.

— Peut-être y en a-t-il qui ont quelque chose à dire, déclara-t-elle au plus grand étonnement du jeune homme.

Était-elle en train de le mettre à l'épreuve ? se demanda-t-il. Il tenta de rester neutre.

— Je ne sais pas. Je crois que les tensions sont trop fortes en ce moment pour qu'il y ait des échanges.

— Peut-être ! Moi, j'aimerais plutôt discuter avec eux, si j'étais dirigeante, déclara-t-elle.

Esteban fut pris au dépourvu. Était-elle sincère ? Il demeura silencieux. Dissimulant son ennui, il la suivit dans une dizaine de boutiques luxueuses. Après quelques heures, il était épuisé de parcourir des kilomètres de magasins. Il songeait à sa douce selva, bien plus accueillante selon lui, quand Alice mit fin à son supplice. Il rentra à l'hôtel et envoya un message codé à Pablo, afin qu'il sache qu'il irait à Manaus, et l'informer que quelque chose se tramait pour les semaines qui suivraient. Il le fit par l'intermédiaire du serveur Internet de l'hôtel ; le message était vague, car il passerait par un intermédiaire avant d'être remis sur papier à Pablo.

Il écrivit donc tout simplement : « Voyage à Manaus bientôt, mer houleuse ! E. »

Après cet envoi, Esteban resta songeur. Que faisait le grand-père de Nessy avec un général au restaurant ? Il aurait aimé entendre leur conversation. Il n'était qu'à quelques tables de la leur, mais avait dû rester discret.

Il se creusa plutôt la tête pour trouver une façon de tirer des informations concrètes d'Alice et de son père.

— CHAPITRE XX —

Nessy, Luis et Christian étaient à leur cours respectif. Ils se retrouveraient pour le cours de biologie naturelle, dans l'après-midi. Les professeurs qui rencontraient Nessy avaient tous la même réaction d'étonnement, accompagnée d'un léger rire discret, en voyant la fille du chef des rebelles. Pour ce qui est de Christian, Pablo lui avait poliment demandé de garder sa casquette jusqu'à ce que ses cheveux repoussent, pour éviter que les guaranis aient une réaction similaire à ceux de Manaus. Christian s'était permis de demander pourquoi, mais il avait eu simplement droit à un « je t'expliquerai un autre jour » de la part de Pablo.

Nessy et Christian se retrouvèrent pour leur cours d'espagnol, seuls tous deux, avec une jeune enseignante douce et aimable. Ils adorèrent leur cours et démontraient une grande facilité. L'enseignante leur déclara qu'ils se débrouilleraient en espagnol dans quelques semaines, moyennant un effort soutenu. Ce qui ne découragea pas les deux amis, car ils avaient été habitués à beaucoup de travail à leur ancienne école. Luis, quant à lui, avait eu ses cours d'éducation physique, où il avait fait travailler ses muscles et son endurance cardiovasculaire pendant une bonne partie de l'avant-midi. Ils se retrouvèrent tous les trois pour le repas à la cafétéria de l'école. Tous les enfants y étaient présents. L'ambiance était conviviale, et ils se sentirent spontanément acceptés par le groupe, qui n'excédait pas une quarantaine d'enfants. Nessy et Christian tentaient, tant bien que mal, de comprendre les questions en espagnol qu'on leur posait. Luis attirait beaucoup l'attention avec sa physionomie particulière, mais comme il n'était pas du type social, il préférait se tenir près de Nessy, à qui il semblait s'attacher davantage chaque jour. Nessy, plus sociable, aimait tout le monde et voulait connaître chacun. Elle ne se sentait pas exclue comme à son ancienne école, mais le souvenir de ce sentiment lui permettait de mieux comprendre l'isolement de Luis. Elle savait qu'il n'était pas facile d'être différent de tous.

Christian, lui, était beaucoup moins bavard qu'avant. Quelque chose avait changé en lui, Nessy le sentait bien. Il s'était beaucoup informé auprès de Victor, et les problèmes sociopolitiques de la planète le préoccupaient beaucoup. Il voulait participer aux actions concrètes qui pourraient changer quelque chose, en bout de ligne. Il avait déjà mentionné ce matin à Victor, avec qui il habitait, que l'école n'arriverait pas à combler ce nouveau besoin croissant au fond de lui. D'une part, parce qu'il n'y avait pas d'ordinateur à l'école – outil essentiel à ses yeux pour s'informer et agir dans le monde – et d'autre part, parce que l'enseignement dans le camp de Pablo lui semblait trop passif, à prime abord. Il apprécia, toutefois, le cours de biologie naturelle auquel ils avaient assisté tous les trois dans l'après-midi. Il était avide d'information et continua de s'instruire chez lui après l'école, à l'ordinateur.

Luis et Nessy passèrent la fin de l'après-midi ensemble à discuter. Nessy, curieuse, lui demanda s'il avait des parents.

— J'en avais. Mon père est mort quelque temps après ma naissance. Je ne me souviens pas du tout de lui. Il était Métis. Ma mère, continua-t-il en baissant ses yeux attristés, est morte il y a quelques mois. Elle était très malade.

— Oh, je suis désolée, Luis, lui avoua Nessy.

— Ça va.

— Ma mère aussi est très malade, lui déclara-t-elle.

— J'aurais fait n'importe quoi pour la sauver, mais ma force ne m'a servi à rien dans ce cas.

Cette affirmation bouleversa Nessy. Elle, avec son don, pouvait faire quelque chose pour sa mère, mais elle ne faisait rien, songea-t-elle. Luis remarqua son air peiné.

— Ça va, Nessy ?

— Elle me manque, j'aimerais la trouver et l'aider.

— Ton père, il ne peut pas t'aider ?

— C'est compliqué !

— Je vois.

Le lendemain, les deux amis se retrouvèrent à l'école, Christian étant resté avec Victor. Depuis qu'il avait pris l'avion avec Victor, il s'intéressait énormément aux avions et à leur pilotage. Ce jour-là, il s'amusait avec un simulateur de vol. Nessy se rendit à un cours d'art. L'enseignante, une jeune et jolie Métisse, lui donna quelques feuilles et des pastels, en lui disant qu'elle voulait d'abord voir ce qu'elle savait faire. Nessy dessina, à son grand enchantement, car cela lui manquait. L'enseignante la félicita, trouvant son travail superbe et très représentatif. Nessy avait coloré un étrange paysage. Des plaines interminables, tapissées de fleurs de soie. On aurait dit des dunes couleur havane brûlé. Le ciel, lui, était parsemé d'énormes nuages boursouflés et menaçants, d'une couleur pourpre. Rien qui ressemblât aux paysages qu'avait vus l'enseignante dans sa courte vie en Amazonie.

Pendant ce temps, Luis suivait son premier cours de psychologie. L'enseignante tentait de lui faire analyser les différents sentiments qu'il avait pu vivre depuis la mort de sa mère. Luis n'était pas à l'aise dans cet exercice. Ses muscles se contractaient à chaque information que la femme tentait de lui soutirer. Elle frissonnait chaque fois, voyant que le garçon pouvait à tout moment perdre sa patience et son sang-froid et, qui sait, peut-être même l'agresser. Elle décida de lui donner des définitions à étudier et à associer à différents sentiments. Finalement, le cours se termina, au grand soulagement des deux. L'enseignante fit aussitôt part de cet inconfort mutuel à la directrice, qui lui promit d'en informer Pablo.

Après son cours d'art, Nessy alla apprendre la méditation avec son père. Il avait décidé que ces cours auraient lieu à son temple de recueillement.

Ils étaient tous deux assis en tailleur, face à face. Pablo commença par lui expliquer le processus en détail, puis l'invita à faire un essai avec lui.

— Je vais te tenir les mains, et de cette façon je pourrai t'assister dans ta méditation. Ça peut prendre du temps, les premières fois. Il faut être patiente, d'accord ?

— Oui, répondit Nessy calmement.

Pablo lui prit les mains et lui demanda de fermer les yeux, ce qu'ils firent tous deux.

— Respire tranquillement, mais profondément, laisse ton corps se relâcher tout doucement, comme si tu flottais.

Nessy l'écouta et s'exécuta. Elle n'avait pas de difficulté, Pablo le sentait bien.

— Tu dois te rendre avec ton esprit à un endroit où tu souhaites être, lui dit-il.

Sur ces mots, il fut pris d'une vision incontrôlable. Il se déplaçait à une vitesse vertigineuse, dans un endroit mystérieux et inquiétant. Le ciel bougeait à toute vitesse, comme si le temps passait en accéléré. Il se trouvait debout, dans un pré couvert de fleurs, les cheveux flottant dans une brise chaude. Puis Nessy apparut devant lui. Elle semblait calme et envoûtée. Elle regardait à travers lui sans le voir. Elle leva un bras et fit arrêter les nuages. De l'autre bras, elle dessina un cercle et les nuages lui obéirent, se mettant à tournoyer au-dessus de la tête de Pablo, formant un entonnoir. Apeuré, Pablo l'interpella.

— Nessy ! Arrête Nessy, m'entends-tu ?

Pablo lâcha brusquement les mains de Nessy et se leva ; il était de retour au temple. Nessy ouvrit les yeux et le regarda, intriguée.

— C'est ça, la méditation ? demanda-t-elle.

Pablo ne répondit pas. Il restait là, figé, à la regarder, les deux yeux écarquillés. Peu à peu, il se remit de sa peur et se rassit en lui disant :

— Non ! Pas vraiment ! Ça, je ne sais pas ce que c'est ! Comment as-tu fait ?

— Je n'ai rien fait. Je me suis rendue à un endroit, puis tu étais là.

— Oui, j'étais vraiment là. Très effrayant, je dois t'avouer.

— Ce n'est pas normal ?

— Pas tout à fait. Je ne sais pas vraiment comment t'enseigner des choses... car tu sembles devancer mes connaissances, involontairement.

— Cela a à voir avec mon destin, n'est-ce pas ?

Pablo se passa la main sur le visage. Il tentait d'effacer l'image bouleversante de sa fille contrôlant à sa guise le ciel. Une imagerie fort troublante pour quelqu'un qui croyait aux esprits de la Terre.

— J'imagine, répondit-il finalement. Je vais tenter de t'assister dans tes apprentissages, Nessy, mais je ne sais pas si je serai à la hauteur de tes dons.

— Je comprends, papa. Ne t'en fais pas ! Depuis que je suis toute petite, je me débrouille toute seule pour apprendre à vivre avec ces particularités. Je m'amusais à contrôler ma peur et ma peine, comme si je savais que ce serait une nécessité dans mon existence. Puis, après, c'est la douleur que je contrôlais. Maintenant, je me rends compte que c'est primordial pour moi, car tout change si vite. Mes dons évoluent malgré moi, je crois. C'est difficile à expliquer.

— Je comprends, Nessy. Dis-toi que je suis là pour toi, d'accord ?

— Oui ! Et même si la peur m'immobilise, je sais que bien plus m'attend.

Pablo était abasourdi. Comment en savait-elle autant ? Les esprits étaient-ils déjà en contact avec elle, à un si jeune âge ? Douze ans était l'âge d'initiation aux pratiques chamaniques, mais il ne pouvait pas croire à la vitesse du changement qu'elle vivait.

— Veux-tu venir à l'hôpital, plutôt ? Nous pourrons réessayer la méditation un autre jour.

— D'accord, mais je ne sais pas si je pourrai me contrôler à ne pas guérir.

— Hum, je vois !

— Je vais peut-être, dans ce cas-là, te parler du *pachakuti*.

— Du quoi ?

— Le *pachakuti* est un avènement qui se produit quand la Pachamama, la terre-mère, effectue un changement considérable. Il peut y avoir des petits *pachakuti*, mais après un certain nombre d'années indéterminé, il en survient un gros, qui peut changer le visage de toute la planète.

— Je vois ! C'est ce qui s'en vient, n'est-ce pas ?

— Il semblerait. Il faut que tous les éléments soient réunis pour qu'il ait lieu.

— Et tous les éléments sont-ils là ?

— Je n'en suis pas sûr.

— Quels sont ces éléments ?

— Premièrement, il doit y avoir une rencontre entre le Kuntur et l'Anka, le condor et l'aigle.

— Et qu'est-ce qui se passe à leur rencontre ?

— Il y a deux possibilités. En fait, le condor représente la force de la nature, et l'aigle, la technologie. La première possibilité est une confrontation entre les deux, causant un déséquilibre violent et dangereux. La deuxième possibilité est qu'il y ait une symbiose entre eux, ce qui déclencherait un changement, une évolution radicale.

— Quel est mon rôle à moi, d'après toi ?

— Toi, tu es le pillpintu, le papillon. Dans les deux cas, tu dois apporter l'harmonie qui permettra à la Pachamama d'aller de l'avant. Mais tout ça semble simple ainsi, mais en fait, d'énormes sacrifices et souffrances sont impliqués dans le processus, et si l'équilibre n'est pas obtenu, la destruction de la Pachamama sera engendrée.

— C'est pour bientôt, tu crois ?

— Je n'en ai aucune idée. Toi, tu es là. Le reste, je ne sais pas si ça se prépare.

Nessy le regarda dans les yeux, songeuse. Il y avait quelque chose qu'il ne lui disait pas, elle le sentait.

— Je t'aime, papa ! Même si je ne pourrai pas toujours rester près de toi.

Pablo l'embrassa sur le front, le cœur gros, et lui murmura :

— J'aurais pris ta place n'importe quand, ma chérie.

— Je sais ! Mais ce n'est ni toi ni moi qui décidons.

Finalement, Nessy alla rejoindre ses amis pour que son père puisse se rendre à l'hôpital, seul. Luis était triste, car il avait passé un avant-midi mouvementé. Après son cours de psychologie, qui l'avait mis à fleur de peau, il avait éclaté de rage devant les autres enfants qui avaient pris peur. Pablo fut mis au courant et décida de trouver une autre méthode pour le garçon. Nessy tenta de le consoler, mais il pleurait amèrement quand Christian vint les rejoindre.

— J'ai manqué quelque chose ? demanda-t-il, intrigué.

Luis se mit sur ses gardes, instinctivement.

— Ce n'était pas une très bonne journée pour nous deux, Christian. Et toi ?

— Eh bien, moi non plus. J'ai appris tellement de choses sur l'être humain et la biotechnologie que j'ai honte de qui je suis, déclara Christian, au grand étonnement de ses deux amis.

— Demain sera une meilleure journée, déclara Nessy. Allons voir Mistral pour nous changer les idées ! ajouta-t-elle.

Les deux garçons lui sourirent et ils partirent rejoindre l'animal.

Pablo reçut le message d'Esteban. Les nouvelles qu'il portait l'inquiétèrent. Il devrait se résigner à une attaque puissante, qu'il ne pourrait peut-être pas encaisser. Il fit part du message à Victor qui en fut bouleversé.

— Nous devons réagir, Pablo !

— Oui ! C'est pour ça qu'Esteban est en mission, pour que nous puissions assurer notre défense.

— La force ne pourra pas être notre solution. C'est certain qu'ils seront plus forts. Il nous faut une autre stratégie !

— Mais quoi ?

— J'ai peut-être une idée là-dessus. Laisse-moi faire quelques démarches.

— D'accord !

Édouard était de retour à Manaus, au même hôtel. Il devait absolument s'entretenir avec Martin, il n'avait pas beaucoup de temps. Il prit rendez-vous avec lui dès son arrivée, malgré l'heure matinale. Ils se rencontrèrent au restaurant pour discuter.

— Déjà de retour ! Je vous ai pourtant dit que ça ne se ferait pas rapidement, monsieur Names, dit Martin en prenant place à table.

— Je sais, mais les choses se compliquent. Avez-vous eu des nouvelles ?

— Plus ou moins. L'homme qui était chargé de récupérer votre petite-fillle a disparu depuis quelques jours.

— Comment est-ce possible ?

— Je ne sais pas. Je partais aujourd'hui même tirer ça au clair. Mais pour ce qui vous concerne, mon homme aurait été vu pour la dernière fois en compagnie d'un rebelle de la zone hors brevet et d'une jeune fille.

— Elle serait donc rendue ?

— Peut-être bien ! Comment va votre fille ?

— Elle est miraculeusement sortie de son coma.

— Eh bien ! Sacré Pablo ! s'exclama Martin en souriant.

— Il n'y est pour rien ! Mais je voulais justement vous parler de lui, monsieur Ortiz. Quel est votre lien de parenté avec Pablo Ortiz, le chef des rebelles, père de ma petite-fille ? demanda Édouard en fixant intensément Martin.

— Je vois que vous avez fait des progrès depuis notre dernière rencontre, monsieur Names. Pablo est mon frère cadet, ajouta-t-il d'une voix assurée.

— Comment ? Pourquoi ne m'avez-vous rien dit ? Vous ne comptez donc pas remplir votre part du marché ! s'exclama Édouard, furieux.

— Allons donc, monsieur Names, en affaires, je n'ai qu'une parole.

— Vous allez tricher votre propre frère ?

— Mon frère est un naïf inconscient des dangers qui l'entourent. Je n'ai pas l'intention de le trahir, c'est pour le bien de ma nièce que je le ferai. Elle sera mieux auprès de sa mère.

— En effet, c'est la raison pour laquelle je suis déjà de retour. La situation est tendue et je sais de source sûre que la zone hors brevet sera attaquée dans les semaines à venir. Nessy doit sortir de là au plus vite. Sa mère la réclame depuis qu'elle s'est réveillée. D'ici cinq jours, il sera trop tard.

Édouard parlait avec nervosité.

— Calmez-vous, monsieur Names. D'où tenez-vous cette information ?

— D'un général important qui s'apprête à approcher un président encore plus important, et laissez-moi vous dire qu'il saura être convaincant.

— Je vois ! Je me rends chez Pablo de ce pas, monsieur Names. Inutile de vous y inviter, dit-il cyniquement, mais je vous tiendrai au courant.

— J'attendrai ici, je compte sur vous pour que je puisse prendre l'avion avec Nessy d'ici quelques jours.

— Je ne promets rien ! Pablo est un peu obstiné à ses heures.

— Vous n'aurez qu'à la kidnapper !

— Vous voulez que je kidnappe votre petite-fille ? Quel genre de grand-père êtes-vous ? s'exclama-t-il, feignant n'y avoir pas pensé.

— C'est pour son propre bien ! La fin justifie les moyens, non ?

— Peut-être bien.

— Je compte sur votre parole !

— D'accord !

Martin se leva et salua Édouard. Celui-ci resta au restaurant, où il mangea seul, angoissé par les événements des derniers jours et par ceux à venir.

Martin se dirigea directement au port avec un de ses hommes qui l'attendait à la sortie de l'hôtel. Ils prirent un bateau à moteur puissant qui les mènerait chez Pablo avant la tombée de la nuit.

Pendant ce temps, à la Terre sans mal, Nessy était assise sur son lit et pleurait. Elle avait fait un autre cauchemar à propos de sa mère, qui l'avait angoissée. Elle sentait que sa mère avait besoin d'elle, et qu'elle n'était plus à l'hôpital. Dans son cauchemar, elle la voyait dans une prison où elle pleurait sans arrêt en appelant sa fille et, chose étrange, constata Nessy, elle appelait aussi Pablo. Nessy ne pouvait plus attendre. Les cauchemars, elle le savait, ne la quitteraient pas jusqu'à ce qu'elle les règle. N'osant pas en parler à son père, elle se dit qu'elle en parlerait à ses deux amis, à l'école.

Christian et Luis l'écoutèrent attentivement, mais n'eurent pas du tout la même réaction.

— Tu veux retourner là-bas ? lui lança Christian.

— Si tu pars chercher ta mère, j'irai avec toi, Nessy, avoua tendrement Luis.

Christian lui jeta un œil courroucé. Nessy remercia Luis et Christian enchaîna :

— D'accord ! Si tu pars, j'irai aussi. Mais ce n'est pas vraiment raisonnable. As-tu un plan au moins ? Ou une idée d'où elle est ?

— Non, je n'ai pas de plan encore, mais je me suis dit que tu pourrais m'aider là-dessus.

— Moi ? dit Christian d'un air sérieux.

— Oui ! Tu as bien trouvé où était détenue Mathilde, non ?

— Oui.

— Pourrais-tu trouver l'endroit où ma mère est détenue ?

— Si c'est indiqué dans un fichier quelconque, oui, je le peux.

Luis écoutait avec jalousie les demandes de Nessy à Christian. Sentant son émotion, Nessy se tourna vers lui.

— Toi, Luis, tu connais l'endroit où sont les pièges autour du camp, n'est-ce pas ?

— Oui, répondit Luis, enorgueilli.

— Tu nous guideras donc quand nous partirons. Mais nous devrons trouver un moyen de nous rendre sur le continent nord-américain. Nous y verrons plus tard, après nos cours. D'accord ? Je ne veux pas que mon père se doute de quelque chose !

— D'accord, répondirent les deux garçons.

Ils se rendirent à leurs cours. Nessy et Christian, ensemble, au cours d'espagnol. Luis, lui, avait un cours particulier qui remplaçait son cours de psychologie. L'enseignant, un homme massif et corpulent, l'attendait au gymnase. Il avait accroché un énorme sac rempli de sable pour que Luis frappe.

— Bonjour Luis, lui dit l'homme en l'apercevant.

— Bonjour monsieur, répondit le garçon d'un air méfiant.

— Il paraît que tu as de la rage à défouler ? Pablo semble vouloir que tu vides quotidiennement l'accumulation de cette rage pour que tu ne vives pas constamment avec une tension psychologique qui deviendrait physique. Nous allons voir ce que ça donne, d'accord ?

— Oui.

— Je vais te demander de frapper le sac comme si tu lui en voulais pour quelque chose. Sors tout simplement ta rage. Vas-y !

Luis frappa sans rage le sac que le professeur retenait difficilement de l'autre côté.

— Bien, mais maintenant fâche-toi ! Tu le détestes ce sac ! Il t'a fait du tort ! Il rit de toi.

Luis frappa un peu plus fort, mais la rage ne venait pas. L'homme tenta encore de le provoquer en l'insultant. Finalement, il trouva ce qui déclencherait la rage de Luis : lui parler de sa mère.

Piqué, Luis frappa si fort et sans arrêt que le sac se fendit. L'homme était tombé à la renverse aussitôt que les coups s'étaient intensifiés.

Luis ne s'arrêtait pas et hurlait sa rage.

L'enseignant l'implorait de se calmer, mais en vain. Ses cris résonnèrent dans le gymnase, et dans le reste de l'école.

Les enfants et les enseignants accoururent, curieux et inquiets. Lorsqu'ils arrivèrent, Luis secouait l'homme violemment. Nessy courut les séparer.

— Luis, arrête tout de suite ! cria-t-elle, furieuse.

Ce fut instantané, il sortit de sa transe, relâchant l'enseignant qui tomba par terre.

Luis se mit à pleurer, honteux devant ce qu'il avait fait. D'autres enseignants aidèrent le professeur, sonné. Luis se cachait le visage et n'osait même pas regarder Nessy. Elle lui prit la main et l'entraîna à l'extérieur de l'école. Il se laissa faire. Dehors, elle lui parla calmement.

— Tu dois te contrôler, Luis, tu fais peur à tout le monde.

— Je... bégaya Luis timidement, je n'y arrive pas, Nessy. Je suis un monstre !

— Non ! Tu n'es pas un monstre. Tu es fort, c'est ton don. Et tu dois, comme moi, apprendre à le contrôler.

— Oh Nessy, tu es tellement gentille. Je ferais n'importe quoi pour toi, avoua-t-il sans retenue.

— Alors ne tape plus jamais sur des innocents, d'accord ?

— Oui !

— Même si tu sens de la colère ?

— Oui !

— Même si tu es jaloux ?

Luis leva les yeux vers elle sans répondre. Elle le foudroya de son regard profond.

— Oui ! répondit-il malgré lui en baissant les yeux.

Christian vint les rejoindre et leur expliqua que ça jasait beaucoup à l'école.

— Il vaut peut-être mieux ne pas retourner en classe tout de suite, déclara-t-il. Moi je vais chez moi, faire des recherches à l'ordinateur.

Pablo arriva sur ces entrefaites. Un professeur l'avait mis au courant de l'incident. Il se dirigea vers eux. Christian le salua et partit.

— Luis, ça va ?

— Je suis désolé, Pablo.

— Oui, je vois. Ce n'est pas facile.

— Il m'a promis qu'il se tiendrait tranquille, papa !

— Oui, mais les gens ont peur. Je crois que tu ferais mieux de travailler avec Raoul et Jorge, avec qui tu t'entends bien, et laisser l'école de côté jusqu'à nouvel ordre. D'accord ?

— D'accord. Je ne comprends pas ce qui m'arrive. Je change et je n'y peux pas grand-chose on dirait !

Pablo le regarda, stupéfait. Cette affirmation le bouleversa. Il venait de réaliser que Luis subissait la même sorte de changement que Nessy, dicté par une force extérieure les propulsant vers leur destinée.

— Kuntur ! laissa-t-il échapper du bout des lèvres.

Sa réaction intrigua Nessy. Luis soupira.

Pablo alla calmer les enfants et les adultes de l'école. Le professeur que Luis avait secoué se remettait à peine de sa frayeur. Pablo s'excusa de la part de Luis et tenta de lc rassurer.

Luis alla rejoindre les deux hommes qui lui avaient sauvé la vie, et Nessy retourna à l'école pour faire de l'art.

À la tombée du jour, Martin et son homme arrivèrent au village. Sur la place centrale, Pablo donnait des directives à ses hommes.

Nessy était avec Mistral, un peu plus loin. Pablo sursauta en entendant la voix de son frère.

— Bonsoir, Martin. Tu m'as surpris, expliqua-t-il, d'emblée, troublé par la présence de son frère.

— Tiens donc, serais-tu un peu plus tendu ?

— Peut-être ! Que fais-tu ici, Martin ?

— Plusieurs choses !

— Tu veux venir prendre un thé ?

— Non, pas cette fois-ci, Pablo.

Pablo sentait la rage dans la voix de Martin. Ça n'augurait rien de bon.

— Je cherche un de mes hommes. Où est Esteban ? Je voudrais lui parler.

Pablo comprit que Martin se doutait de quelque chose.

— Il est en mission, loin d'ici.

— Vraiment ?

— Oui. Que lui veux-tu ?

— Pedro est disparu et il semblerait qu'Esteban y soit pour quelque chose.

— Que veux-tu insinuer ?

— J'ai peur que Pedro soit mort ! Aurais-tu quelque chose à me dire, Pablo ?

— Toi, aurais-tu quelque chose à me dire, mon frère ?

Nessy arriva près d'eux. Elle avait entendu qu'il s'agissait de Martin, le frère de son père. Pablo sursauta à nouveau. Martin fut estomaqué. Elle était là, ressemblant encore plus à son père en personne, plus vieille que sur la photo.

Les deux hommes se regardèrent longuement, s'affrontant du regard. Aucun n'osa mouvoir d'un poil.

— Vous mentez tous les deux, déclara clairement Nessy, si c'est cela qui vous tracasse.

Pablo la regarda et comprit qu'elle pouvait le sentir. Il détourna son regard vers Martin.

— Comment as-tu pu donner un tel ordre, Martin ? Esteban est mon meilleur homme ! Mon bras droit, mon protégé.

Martin fut bouche bée.

— Pedro est mort ? balbutia-t-il.

— Esteban s'est défendu, déclara Nessy, pleine d'assurance.

Martin frissonna. Elle avait une prestance qui commandait le respect, plus marquante encore que celle de Pablo. Puis, il sentit la colère l'envahir devant le fait que son homme était bel et bien mort.

— Pablo, je ne lui pardonnerai jamais !

— Pourtant c'est bien vous qui avez donné l'ordre de m'enlever ! l'apostropha Nessy, furieuse de la façon dont cet homme, son oncle, blâmait Esteban.

— Pourquoi ? interrogea Pablo, outré.

Martin se sentit attaqué, jugé, mais avoua tout de même.

— Pedro était seulement chargé de ramener la fille. Je savais qu'une fois ici, tu ne voudrais pas entendre raison. Elle n'est pas en sécurité ici. J'ai promis à Édouard qu'elle pourrait retourner là-bas, auprès de sa mère.

— Quoi ! s'écria Pablo, meurtri par cet aveu.

Comment peux-tu t'allier à mon pire ennemi ?

— Ce n'est pas lui ton pire ennemi, Pablo.

Nessy s'était immobilisée en entendant évoquer sa mère et son grand-père.

— Ils s'apprêtent à attaquer.

— Je sais, Esteban m'a mis au courant.

— Enfin tu sembles entendre raison ! Ta fille n'est pas en sécurité ici et sa mère la réclame. Elle est mourante.

— Tais-toi, Martin.

Nessy regarda Pablo, inquiète.

— Que tu le veuilles ou non, Pablo, c'est la vérité. Tu ne peux pas lui refuser ses dernières volontés.

Nessy fut troublée et prise d'un soudain vertige en entendant les mots de son oncle.

— Ça suffit ! Nessy restera ici ! ordonna Pablo, furieux.

Il ne voulait pas que Martin relance la discussion qu'il avait eue avec Nessy.

— Papa ?

— Nessy, va rejoindre tes amis, s'il te plaît. Cette discussion ne concerne que mon frère et moi !

Nessy lui obéit, comprenant qu'elle le blesserait vraiment en lui résistant devant son frère. Le cœur cognant lourdement dans sa poitrine, elle se dirigea vers la maison de Victor et Christian.

Pablo se calma un peu. Il se sentait trahi et il lui était douloureux d'éprouver une telle rage envers son propre frère.

— Pourquoi me blesses-tu autant, Martin ?

Martin, pris au dépourvu, décoléra un peu aussi et demanda à son homme de le laisser seul avec son frère. Ils s'assirent ensemble sur un banc de parc de la *plaza*.

— Ce n'est pas mon but, répondit-il une fois seuls.

— Pourtant...

— Pablo, je me suis toujours fait du souci à ton sujet. Ta philosophie est complètement irréaliste dans le genre de monde où nous vivons.

— Je sais le danger qui me guette dans mon monde, mais le chaos que tu nommes réalité n'en est pas une. Des gens qui combattent et tuent pour une Terre qui se meurt par leur faute n'est pas une solution pour moi.

— Reste que ta « Terre sans mal » sera ensanglantée d'ici quelques semaines.

Pablo baissa la tête, découragé.

— Laisse ta fille rejoindre sa mère et nous nous battrons tous contre l'armée qui nous attaquera. J'ai obtenu des armes puissantes qui pourraient nous donner une chance si nous nous organisons.

— Non ! Tu as tort de faire confiance à Édouard. C'est lui qui s'est débarrassé de Nessy en l'envoyant dans une école d'enfants produits, en effaçant sa mémoire et celle de sa mère.

— Quoi ? s'exclama Martin, déconcerté.

— C'est la vérité. Il est intéressé à récupérer Nessy pour une toute autre raison.

— Laquelle ?

— Elle possède un don particulier.

— Ne me sors pas une histoire de gène magique, Pablo. Je n'en ai pas la patience ce soir.

— Martin, que tu aies décidé de renier ton peuple et tes croyances ne les fera pas disparaître après des milliers d'années d'existence.

— Mais de quoi parles-tu ?

— Le *pachakuti*.

— Sapristi, Pablo ! Tu as perdu la tête ! Des légendes à dormir debout. Tu veux me faire croire ça dans une situation pareille ?

Martin se leva et, d'un ton autoritaire, mit son frère en garde :

— Je ne t'appuierai pas dans des conditions pareilles ! Je ne te promets plus rien. Mon armée protégera la zone hors brevet, car c'est un camp rebelle. Mais pour ta fille, je crois qu'elle serait mieux ailleurs ! Peut-être pas avec son grand-père, mais avec sa mère.

— Si tu voyais ce qu'elle sait faire.

— Je suis content que tu sois fier de ta fille, Pablo. Mais ça a ses limites !

— Tu m'as toujours détesté parce que j'avais réussi là où tu avais échoué.

— Et pourtant, je suis reconnaissant aujourd'hui de cet échec. Chaman est une profession plutôt désuète par les temps qui courent.

— Ah oui ? Je croyais que la planète entière était en quête de gens qui guérissent au lieu de gens qui tuent.

— Nous voulons protéger le peuple !

— D'accord, protège-le. Je le guérirai avec Nessy.

— Fais à ta tête, Pablo ! lui lança Martin, et il s'en alla.

Pendant ce temps, Nessy s'était informée auprès de Christian au sujet de la prison de sa mère. Elle avait appris à regret qu'elle était dans un hôpital militaire fortement surveillé. Elle retourna chez elle, complètement découragée. Pablo, assis sur le perron, l'attendait.

— Viens, Nessy, lui dit-il.

Nessy, anéantie, s'assit à côté de lui et se mit à pleurer sur son épaule. Pablo resta silencieux, ébranlé par l'état fébrile de Nessy.

— Elle va mourir, papa ! déclara-t-elle après un bout de temps.

— Beaucoup de gens vont mourir, Nessy !

— Je ne veux pas de ce destin !

— Je sais.

Pablo lui expliqua qu'il habiterait désormais avec elle,

dans la maison de son enfance. Il voulait la protéger, car il avait peur de ce que pourrait faire Martin pour remplir sa promesse à Édouard. Il espérait aussi que Victor trouverait une solution à l'attaque imminente.

— Chapitre XXI —

Quelques jours s'étaient écoulés depuis la visite de Martin. Nessy refaisait son cauchemar toutes les nuits, se réveillant angoissée chaque matin. Ses amis tentaient tant bien que mal de la consoler. Par ailleurs, Nessy progressait beaucoup dans ses cours de méditation, même si Pablo en ressortait chaque fois bouleversé par la puissance du pouvoir de sa fille, qui le faisait voyager à différents endroits, tous plus étranges les uns que les autres.

Martin rencontra Édouard au restaurant. Il le mit au courant de la réponse de Pablo et Édouard s'écria :

— Vous n'avez pas respecté notre marché !

— Le marché était que je fournissais des remèdes pour Julia et qu'après, je récupérais votre petite-fille dans un délai raisonnable. Par la suite, vous avez mis un délai de quelques jours. Mais ce ne sera pas possible !

— Pourquoi ?

— Parce que Pablo vient de retrouver la fille que vous lui aviez volée en plus de la femme qu'il aimait. Il ne sera pas prêt à la laisser aller aussi simplement. Peut-être qu'il serait plus simple de mener votre fille vers eux, maintenant qu'elle n'est plus dans le coma.

— Non ! C'est impossible.

— Pourquoi ?

— C'est ainsi !

— Alors vous devrez attendre et vous croiser les doigts. De ma part, je ferai tout mon possible pour protéger le territoire.

— Mon Dieu, comment peut-il la garder dans un endroit aussi convoité en ce moment ?

— C'est chez lui !

— Je veux juste qu'elle sorte de là !

Édouard était à son dernier jour de sursis. Il n'était pas allé voir Julia, craignant sa réaction. Il devait faire part de son échec au général, sachant ce qui en découlerait.

Il le fit donc avec un sentiment d'accablement, et le général lui répondit qu'il serait tenu responsable des innocents qui paieraient de leur vie l'intervention militaire engendrée par son échec.

Ce même matin, les Vondenbirgh partaient pour Manaus. Esteban et William les accompagnaient. La première réunion des dirigeants avait lieu le lendemain. Esteban, qui avait passé la dernière semaine à tenter d'obtenir des informations concrètes, s'inquiétait. Alice semblait fermée, ou alors elle ignorait tout au sujet de l'invasion. Son père était très réservé. Esteban trouvait que sa mission était inutile. Il passait des heures auprès d'Alice comme son petit ami et trouvait qu'il se perdait dans le processus.

Le lendemain matin, Vondenbirgh reçut l'appel du général Rivers, l'informant qu'il avait des informations intéressantes à lui communiquer. Vondenbirgh l'invita à le rejoindre à Manaus, puis se rendit à la première réunion, qui ne se déroula pas du tout comme il s'y attendait.

La plupart des dirigeants de compagnies multinationales n'étaient pas prêts à envahir la zone illégalement.

Nessy, ce matin-là, n'en put plus de l'angoisse causée par l'appel de sa mère. Elle prit finalement une décision et en fit part à ses amis.

— J'ai trouvé ce que je veux faire. Je veux me rendre à Manaus pour demander de l'aide à mon oncle afin de libérer ma mère, puis revenir ici. Qu'en pensez-vous ?

— Moi je te suis, Nessy ! répondit aussitôt Luis.

— Moi aussi !

— Merci ! Nous allons préparer des provisions et nous partirons dans quelques heures avec Mistral. C'est d'accord ?

— Oui ! répondirent les deux garçons.

Ils partirent sans prévenir personne, quelques heures plus tard au cours de l'avant-midi. Ils pourraient atteindre Manaus en deux jours s'ils maintenaient un bon galop, bien qu'ils fussent trois sur le cheval.

Vondenbirgh reçut le général Rivers après la réunion qui avait duré toute la journée. Ce dernier descendait fraîchement de son avion militaire. Ils étaient seuls dans la luxueuse suite des Vondenbirgh, Esteban et Alice étant sortis visiter la ville.

— Bonsoir, monsieur Vondenbirgh.

— Bonsoir général Rivers, asseyez-vous, je vous en prie.

Le général prit place dans un luxueux fauteuil et un domestique vint lui offrir à boire. Il accepta volontiers un scotch sur glace.

— Qu'avez-vous de si intéressant à m'annoncer, général Rivers ?

— Votre réunion s'est bien passée ?

— Non ! Ils ont tous peur d'un soulèvement rebelle mondial, si nous nous attaquons à cette terre un peu sacrée.

— Vous m'en voyez déçu, monsieur, car je venais vous porter la confirmation des ouï-dire. J'ai des preuves concrètes qu'un gène en particulier vaut la peine d'enfreindre tous les traités de ce monde. Mais peut-être que je pourrai vous convaincre de le faire sans l'accord des autres dirigeants. Nous pouvons simplement nous allier tous les deux.

— Que me racontez-vous, général ?

— Le gène Boto, ça vous dit quelque chose ?

— Êtes-vous en train de me dire qu'il existe ?

— Oui. Et il se trouve dans la zone en ce moment.

— Vous ne jouez pas avec mes nerfs, général ?

— Non monsieur, je sais fort bien que ce gène en particulier vous intéresse.

Ils discutèrent ainsi quelques heures. Le général partit avant que la fille de monsieur Vondenbirgh ne revienne, ne tenant pas à se faire voir en train de marchander avec son père. Ils convinrent de se revoir le jour suivant pour finaliser leur entente.

Les trois jeunes voyageurs et leur monture, pendant ce temps, avaient parcouru une bonne partie de la distance qui les séparait de leur destination. Ils avaient monté un camp et dormaient déjà profondément.

Pablo était abattu par la nouvelle de la disparition de Nessy. Il savait qu'elle était partie de son plein gré avec ses deux amis et son cheval. Il était sidéré de ne pas avoir réussi à l'empêcher d'agir ainsi. Il avait envoyé Raoul et Jorge à leur poursuite en motomarines, sachant qu'ils passeraient par Manaus. Lorsqu'il rentra à la maison, Maria, qui ignorait la fuite de Nessy autant que le contenu de la lettre qu'elle lui tendait, lui dit :

— Nessy m'a demandé de vous la donner en soirée. Merci Maria.

Pablo l'ouvrit et la lut.

« Papa, ne m'en veux pas ! Je fais ce que me dicte mon intuition, je sais que tu comprendras ! Je t'aime et je reviendrai si cela est mon destin.

Nessy »

Pablo replia la lettre et soupira amèrement.

— Ce n'est pas ta mère que tu es partie chercher, ma chérie. C'est le début de l'aventure du condor, de l'aigle et du papillon qui s'impose à vous, murmura-t-il en se laissant tomber sur une chaise.

Esteban et Alice regagnèrent la suite. Ils trouvèrent monsieur Vondenbirgh assis dans le salon.

— Vous vous êtes bien amusés ? leur lança-t-il amicalement.

— Oui, père, répondit Alice, souriante.

Monsieur Vondenbirgh demanda poliment à Esteban d'aller chercher son portable dans son bureau, ce que le jeune homme fit. Dès qu'il fut parti, monsieur Vondenbirgh lança à sa fille, la regardant d'un air autoritaire :

— Ce jeu a assez duré, Alice. Je ne veux plus que tu repartes. C'est ce soir que je veux que tu me démontres que tu as ce qu'il faut pour me succéder. Ce soir, tu rendras ton vieux père fier de sa fille ! Me suis-je bien fait comprendre ?

— Oui, père, répondit-elle en baissant les yeux.

Esteban était de retour et remit le portable à monsieur Vondenbirgh, en lui demandant comment s'était passée la réunion.

— Pas très bien. Il va falloir que les choses changent. Ça va brasser, répondit-il en échangeant un regard complice avec Alice.

Sa réponse piqua la curiosité d'Esteban. Puis monsieur Vondenbirgh se retira, prétextant la fatigue, laissant les deux jeunes gens seuls, en tête à tête.

Alice, assise sur un sofa, souriait tendrement à Esteban. Un frisson le parcourut. Toute la semaine, il avait réussi à se réfugier à son hôtel, mais maintenant, il était au même hôtel qu'elle. Il se demandait jusqu'où son chef s'attendait à ce qu'il joue ce jeu dangereux. « Pablo, tu ne peux pas me demander cela ! » songea-t-il, bouleversé, lorsqu'Alice l'invita à venir s'asseoir à ses côtés.

— Alice, je pense que je vais rentrer. Nous nous verrons demain, d'accord ?

— Tu ne veux pas prendre un verre avec moi ? répondit-elle, offensée.

— D'accord, mais seulement un.

Elle se leva et lui servit un verre de vin. Il le but en bavardant avec retenue. Il voulait partir, sa mission commençait vraiment à l'angoisser. Il partit un peu étourdi, bien qu'il n'eût pris qu'un seul verre. Alice, qui lui souriait avec malice du seuil de la suite, le regarda regagner sa chambre non loin.

Monsieur Vondenbirgh partit à l'aube rencontrer le général, au restaurant qui ouvrait à peine ses portes. Monsieur Vondenbirgh lui expliqua qu'il avait eu toutes les informations nécessaires au sujet de la zone durant la nuit. Le général lui offrit l'expertise de ses hommes, ceux-ci étant les mieux préparés à une attaque dans un milieu aussi austère que la forêt amazonienne.

Ce même matin, Victor faisait part à Pablo de sa stratégie pour l'aider.

— J'ai lancé un appel d'aide à tous les rebelles du monde. J'ai déjà reçu bon nombre de réponses. La plupart vont se mobiliser auprès de leur gouvernement pour les inciter à défendre la Terre sans mal. Ce qui devrait fonctionner, car personne ne voudra laisser une multinationale plus qu'une autre prendre possession de l'héritage génétique ici protégé. C'est une avenue à envisager, et c'est le mieux que je puisse offrir, expliqua-t-il à Pablo, encore bouleversé par le départ de Nessy.

— Merci Victor. C'est déjà beaucoup !

— Moi aussi je suis inquiet pour les enfants, Pablo ! lui déclara Victor amicalement. Je me suis attaché à Christian comme un père à son fils. J'ai toujours voulu en avoir un, mais ma femme est morte si jeune et, de plus, en Amérique du Nord comme en Europe et en Asie, les campagnes de stérilisation massive ont été très réussies.

— Oui, c'est affreux. Ici, les méthodes utilisées ont été moins concluantes, au grand soulagement des rebelles et de tous les citoyens qui, moins ouvertement, étaient contre la production manipulée des enfants.

— As-tu une idée de l'endroit où ils vont ?

— Nessy veut retrouver sa mère !

— Christian m'a pris du matériel électronique.

— Je vois. Raoul m'a dit hier que Luis avait pris une arme, déclara Pablo, soucieux.

— Ils se sont munis du nécessaire. Mais ils n'ont que douze ans, Seigneur !

— Ils ne les auront plus dans leur tête, ni dans leur cœur, lorsqu'ils auront accompli leur mission ! dit Pablo d'un air abattu. Tant de poids sur de si petites épaules, songea-t-il amèrement.

— CHAPITRE XXII —

Esteban s'était réveillé avec une terrible migraine. Il ne se souvenait de rien, mais il savait qu'il n'avait pas bien dormi du tout. Alice lui avait téléphoné à sa chambre pour qu'il vienne la rejoindre au restaurant de l'hôtel, dans une heure. Ce matin, elle avait prévu faire un tour de bateau avec lui, elle trouvait cela très romantique. Esteban étouffait, il était si près de la Terre sans mal, mais ne pouvait pas abandonner sa mission. Il aurait trop honte devant Pablo. Il se disait qu'aujourd'hui, il allait insister auprès d'Alice pour qu'ils assistent à la réunion, elle et lui, alléguant qu'une future dirigeante devait s'impliquer dès lors dans les questions importantes concernant la planète. Il voulait lui en faire part au restaurant.

— Bonjour ma belle, lui dit-il avec un sourire rayonnant.

— Bonjour Manuel, bien dormi ? lui demanda-t-elle avec un sourire mesquin.

— Oui ! mentit-il. Et toi ?

— Comme une princesse. J'ai déjà commandé pour toi, car après le repas, nous prenons un bateau à vapeur. Il paraît que c'est une excursion exceptionnelle et que la vue de la forêt est époustouflante. Il faut en profiter, car je ne crois pas que nous resterons ici longtemps.

— Euh, je voulais te demander si nous ne pourrions pas plutôt aller à la réunion avec ton père. Des enjeux importants se préparent en ce moment et je crois qu'en tant que jeunes adultes, il est primordial pour nous d'y prendre part !

Alice le regarda longuement d'un air interrogateur, en fronçant les sourcils. Puis, elle soupira et en souriant faussement, lui répondit :

— Nous le pourrons. Mon père a reporté la réunion à cet après-midi. Nous irons après notre tour guidé, d'accord ?

— Oui, répondit Esteban, satisfait et soulagé.

Ils mangèrent donc le repas qu'on leur apporta.

Pendant ce temps, non loin, les trois voyageurs arrivaient aux portes de la ville. Ils laissèrent Mistral à l'orée du bois et se dirigèrent vers le port. Luis questionna Nessy sur son plan.

— Je suis certaine qu'au port nous rencontrerons un homme de Martin, mon oncle. Il nous mènera vers lui et nous ferons part à Martin de notre projet.

— Et tu lui fais confiance à ton oncle ? demanda Christian.

— Je sais qu'il veut m'envoyer sur le continent nord-américain, alors je ne vois pas pourquoi notre projet lui causerait un inconvénient.

Ils marchèrent en traversant l'ouest de la ville et en descendant vers le sud pour se rendre au port. Une fois rendus, Nessy se mit à chercher des yeux un homme qui semblerait remarquer sa ressemblance avec son père. Ils passèrent sur un quai plus achalandé où des gens montaient à bord d'un bateau-vapeur touristique. C'est à ce moment qu'elle entendit une voix s'exclamer :

— N8836 ! Ça c'est une surprise !

Nessy connaissait cette voix. Elle se retourna et tenta d'apercevoir la personne qui l'interpellait. Ses deux amis se retournèrent et regardèrent autour d'eux. C'est alors que Nessy aperçut A1700 qui s'approchait d'eux d'un pas empressé. Elle tirait de sa main un jeune homme au travers de la foule. Elle s'arrêta. Nessy fut littéralement pétrifiée. Elle sentit une douleur glaciale lui envahir le cœur. Ses yeux embrouillés se figèrent froidement dans ceux d'Esteban. Ce dernier resta immobile, frappé de plein fouet par ce qui arrivait. Il perdit toute notion de l'endroit où il se trouvait et de qui il était. La troublante scène l'engourdissait en entier. Il lâcha instinctivement la main d'Alice. Cette dernière lui jeta un regard, mais était plutôt occupée à dévisager Nessy et Christian, qu'elle avait reconnu malgré sa casquette. Christian remarqua la paralysie de Nessy. Luis semblait perdu, mais ressentait la tension.

— C'est vraiment drôle de te voir ici ! s'exclama Alice.

Esteban regardait Nessy dans les yeux, mais cette dernière était figée sur place. Une douleur l'élançait dans toutes ses veines. Une douleur qu'elle ne réussit point à contrôler. Esteban priait pour qu'elle ne dise mot et comprenne qu'il ne faisait qu'accomplir sa mission. Alice ne remarquait rien, tellement absorbée par cette rencontre.

— Et dire que mon père s'apprête à attaquer la zone hors brevet dans quelques heures pour t'y trouver, dit Alice en riant cyniquement.

Esteban fut ébranlé par cette déclaration. Nessy resta de glace, toujours paralysée, sauf pour quelques larmes discrètes qui sillonnèrent son visage, que seuls ses deux amis virent. Christian lui prit la main.

— Mais tu vois, N8836, ce n'est pas vraiment à mon avantage qu'il t'y trouve. Et comme je te dois la vie, je paie ma dette aujourd'hui. Je ne suis pas totalement ingrate.

— Tiens donc ! lança Christian.

— Je vous donne un sursis, alors partez avant que je ne change d'idée ! lança Alice froidement.

Bien que déconcerté par l'attitude d'Alice, Esteban souhaitait de tout son cœur que ses amis partent au plus vite, même s'il n'arrivait pas à comprendre comment Nessy s'était retrouvée hors de la Terre sans mal. Compte tenu de ce qu'il venait d'apprendre au sujet des plans de Vondenbirgh, même s'il allait directement envoyer un message à Pablo, il doutait que la zone soit le meilleur endroit où se trouver en pareille situation. Et il savait aussi que les gardes du corps d'Alice se trouvaient tout près, et qu'il suffirait d'un seul mot de la part de leur patronne pour que Nessy soit pourchassée par une armée complète. Il tenta d'implorer Nessy, d'un regard, de partir, mais à ce moment même, Nessy fit quelque chose que seul Esteban perçut. Elle lui envoya par la pensée la douleur qui empoignait son cœur mutilé par la scène. Esteban se prit la poitrine de la main gauche, accablé par cette étrange sensation. Penché vers l'avant, il leva des yeux tristes vers Nessy. Toujours rien, elle ne bougeait pas. Alice le regarda, anxieuse. Luis prit l'autre main de Nessy, et les deux garçons la tirèrent vers eux pour qu'elle les suive. Alice prit la main d'Esteban et cria aux enfants qui disparaissaient dans la foule :

— Je ne te dois plus rien, N8836 !

Christian tentait en marchant de secouer Nessy pour la sortir de son état.

— Nessy, remets-toi, je t'en prie ! Il faut se sauver. Je ne fais pas confiance à cette fille.

À ce moment-là, un homme s'approcha d'eux. Nessy le reconnut. C'était l'homme qui accompagnait Martin l'autre soir.

— Que faites-vous ici ? leur demanda-t-il.

— Mène-nous à Martin, s'il te plaît, répondit brièvement Nessy, se remettant de ses émotions et voulant tout simplement oublier la scène qu'elle venait de vivre et s'en éloigner au plus vite.

Pendant ce temps, Esteban voulut tenter de retourner à l'hôtel pour prévenir Pablo. Alice lui dit, en pointant ses deux gorilles :

— Tu viens avec moi !

Esteban fut déconcerté par cette attitude. Ils montèrent à bord du bateau, suivis des gardes du corps. La douleur qu'il avait reçue de Nessy l'étreignait encore, mais s'estompait.

Les trois enfants se retrouvaient face à Martin, dans une église désaffectée.

— Que fais-tu ici, Nessy ?

— J'ai besoin de ton aide, Martin !

— Mon aide pour quoi ?

— Pour quitter le continent. Mais avant, laisse-moi t'avertir qu'une armée s'apprête à attaquer aujourd'hui la Terre sans mal !

— Monsieur Vondenbirgh ! s'exclama Christian, en se rappelant le dossier de A1700. C'est lui son père, ajouta-t-il.

— Oh c'est sérieux ! dit Martin en entendant ce nom. Il fit signe à son homme de donner l'alerte. Puis, se tournant vers Nessy, il ajouta :

— J'informe ton grand-père. Il viendra te chercher ici. Je suis certain qu'il amènera tes amis avec toi, si tu le désires.

— Non ! Pas mon grand-père !

— Pardon ?

— Je ne lui fais pas confiance. Il ment comme il respire. Je veux que tu nous fournisses des hommes pour aller libérer ma mère.

— Quoi ?

— Elle est détenue dans une prison militaire.

— Mais Édouard ne m'a jamais mentionné cela !

— C'est ce que je te disais. Il ment !

— Et toi, comment le sais-tu ?

Nessy s'avança vers lui, le fixant de son regard perçant ; elle posa sa main sur l'avant-bras de son oncle.

Elle fit passer une vision de son cauchemar à Martin. Ce dernier la repoussa, apeuré par l'événement.

— Quoi ? Qu'est-ce ? Comment fais-tu cela ?

— Peu importe. M'aideras-tu à libérer ma mère ? Elle est malade et je dois la guérir !

— Tu fais ça aussi ?

— Je peux guérir d'un simple toucher. C'est ainsi que j'ai guéri instantanément la blessure que Pedro avait infligée à Esteban avec les pales de son moteur.

Martin réfléchissait : il comprenait l'importance, mais surtout le danger que présentait cette enfant dans un monde comme le leur.

— Le problème est que je ne possède pas d'avion.

Nessy réfléchit, puis dit :

— L'hydravion d'Esteban devrait être à l'île de Marajo !

— Je croyais qu'il était en mission ?

— Il est de retour sur le continent, répondit Nessy avec amertume.

— Bon, d'accord, je vais choisir deux hommes. Attendez-moi ici !

— Il y a autre chose, Martin, l'interpella Nessy avant qu'il ne parte.

— Oui ?

— Je veux que vous preniez soin de Mistral pendant mon absence.

— Qui est Mistral ?

— C'est mon cheval. Nous l'avons laissé à l'orée du bois, au nord-ouest d'ici.

— Bien. Est-ce qu'il a des pouvoirs lui aussi ? ricana Martin, cynique.

— Non ! Juste qu'il compte beaucoup pour moi.

Les deux hommes de Martin sortirent de la salle où leur chef leur avait donné des ordres précis. Ils étaient renversés par la teneur de ces ordres, mais ils étaient des guerricrs ; ils avaient été entraînés toute leur vie à cette tâche : obéir aux ordres de leur chef.

Ils partirent tous les cinq une demi-heure plus tard. Les deux hommes avaient prévenu les enfants qu'ils devraient passer par la jungle, pour éviter d'être repérés sur le fleuve. Après une demi-heure de marche, enfoncés dans la selva, les deux hommes s'arrêtèrent.

— Qu'y a-t-il ? demanda Christian, inquiet.

Les deux hommes sortirent un revolver et mirent les enfants en joue.

— Oh, oh, s'exclama Christian.

Nessy fut stupéfaite.

— Comment ? questionna-t-elle.

— Vois-tu, ma jolie, Martin croit qu'une enfant comme toi représente un danger énorme pour le monde. Car, tombée entre de mauvaises mains, tu leur donnerais une arme dangereuse, celle de l'invincibilité. Des soldats qui guérissent leurs propres blessures ! Nous, ça ne nous sert à rien, car nous ne faisons pas de manipulations génétiques. Mais pour ceux qui en font, nos ennemis, tu imagines ?

— Oui, on me l'a déjà expliqué, répondit Nessy. Il y a aussi des gens qui n'ont aucun honneur ! continua-t-elle, furieuse. Comme mon oncle et mon grand-père !

Se tournant alors vers Luis, elle le regarda, les yeux lourds de sens. Luis comprit instantanément et bondit sur un des hommes, l'assommant d'un unique coup de poing. L'autre homme, pris au dépourvu, le menaçait de son arme.

— Ne bouge pas !

Luis bondit. L'homme fit feu en tombant, croulant sous l'assaut du garçon. Luis poussa un cri, puis roua l'homme de coups puissants, le mettant vite hors de combat.

Nessy se précipita sur Luis. Sentant la douleur dans son bras droit, elle le guérit aussitôt. Luis et Nessy se remercièrent mutuellement.

Christian, qui était resté immobile, déclara en soupirant :

— Tout un oncle, ton Martin ! Je crois qu'on ne peut plus faire confiance à personne.

— Oui, il reste une personne sur qui nous pouvons compter ! déclara Nessy.

— Qui ? demanda Christian, curieux.

— Mathilde.

— Bon, et bien, nous irons la trouver sans l'aide de personne. De toute façon, je pourrai conduire l'hydravion avec l'aide de Luis et nous possédons tous les atouts importants dont nous aurons besoin, répondit Christian en souriant. Luis lui rendit son sourire.

— Nous allons retourner vers le fleuve voler un bateau pour nous rendre à l'embouchure, expliqua Christian en sortant une boussole de son sac à dos.

Soudain, Nessy lâcha un cri d'horreur et s'écroula sur le sol. Elle se tenait le flanc droit de la main et ses yeux se révulsaient. Les deux garçons se précipitèrent pour la relever. Elle hurlait de douleur.

— Nessy, qu'y a-t-il ? s'écria Christian, bouleversé.

Elle ne répondit pas. Pliée en chien de fusil elle criait :

— Non ! Non ! Je vous en prie, non !

À Manaus, Esteban, qui était rentré à sa chambre d'hôtel, escorté d'Alice et de ses gardes du corps, gisait par terre, le flanc droit ensanglanté par un coup de poignard. Lorsqu'il s'était retrouvé seul dans sa chambre, il s'était empressé de s'asseoir au bureau pour envoyer un courriel à Pablo. Mais Williams et Vondenbirgh étaient entrés par surprise, et William l'avait poignardé dans un grand rire machiavélique. Monsieur Vondenbirgh lui parlait pendant qu'il se vidait de son sang sur le tapis.

— Vois-tu, mon cher Esteban, quand ma femme a voulu qu'on fasse produire un garçon, je lui ai dit qu'au contraire je voulais une fille pour me succéder, car ainsi elle aurait des atouts de taille devant ses adversaires masculins : sa beauté et sa séduction. Pablo a eu tort de vouloir jouer dans la cour des grands. Comme s'il pouvait m'espionner avec l'armée de services secrets et d'intelligences que je possède ! D'autre part, les informations précises sur le camp de la zone hors brevet que tu nous as fournies la nuit passée, après qu'Alice t'ait fait absorber une drogue puissante permettant de soutirer des informations du sujet pendant qu'il est inconscient, nous seront fort utiles dans les heures qui viennent. Tu nous as même parlé d'une certaine Nessy, fort importante. En fait, j'ai laissé Alice responsable de cette action, car je voulais voir si elle avait l'étoffe qu'il fallait pour me succéder.

Esteban pleurait silencieusement. Il avait failli à sa tâche et à sa promesse. Il ne pourrait pas prévenir Pablo, et il ne pourrait pas non plus aller rejoindre Nessy pour la protéger.

Nessy restait recroquevillée dans un état semi-conscient. Elle n'arrivait ni à bouger ni à parler. Christian, ébranlé, l'implorait de lui répondre. Luis cherchait son regard des yeux, mais Nessy avait les yeux éteints. Elle finit par s'évanouir dans un long soupir de douleur. Christian et Luis se regardèrent, accablés par la situation. Que lui arrivait-il ?

Sous le poids de la peur, Luis s'emporta. Il frappa de toutes ses forces sur un tronc d'arbre en hurlant sa colère. Christian, apeuré, l'implora de se calmer. Il savait que Nessy avait le pouvoir de le sortir d'une attaque, mais pas lui. Il fallait l'empêcher de laisser la rage l'envahir.

Il lui demanda de porter Nessy sur son épaule pour qu'ils puissent partir et s'éloigner de là le plus vite possible avant que Martin n'ait le temps d'envoyer d'autres hommes à leurs trousses.

— Nous devons trouver un endroit pour nous réfugier et trouver ce qui arrive à Nessy, lui expliqua-t-il.

William et Monsieur Vondenbirgh abandonnèrent Esteban agonisant. Ils avaient une Terre sans mal à envahir. Esteban, engourdi par la douleur, réussit à se rouler sur le dos. Les yeux embrouillés et mi-clos, il cherchait désespérément une solution. Mais son corps ne répondait plus. Il avait froid et ses lèvres tremblaient.

Il s'évanouit à son tour, ensanglanté.

Gisant dans une chambre d'hôtel, à quelques lieux de la Terre sans mal.

Qui serait sans doute attaquée d'une minute à l'autre.